发展汉语

Developing
Chinese

第二版
2nd Edition

Intermediate Reading Course
中级阅读
（I）

徐承伟　编著

北京语言大学出版社
BEIJING LANGUAGE AND CULTURE
UNIVERSITY PRESS

Developing
Chinese 第二版 2nd Edition

编写委员会

主　编：李　泉

副主编：么书君　　张　健

编　委：李　泉　　么书君　　张　健　　王淑红　　傅　由　　蔡永强

编辑委员会

主　任：戚德祥

副主任：张　健　　王亚莉　　陈维昌

成　员：戚德祥　　张　健　　苗　强　　陈维昌　　王亚莉
　　　　王　轩　　于　晶　　李　炜　　黄　英　　李　超

《发展汉语》(第二版)为普通高等教育"十一五"国家级规划教材。为保证本版编修的质量和效率,特成立教材编写委员会和教材编辑委员会。编辑委员会广泛收集全国各地使用者对初版《发展汉语》的使用意见和建议,编写委员会据此并结合近年来海内外第二语言教学新的理论和理念,以及对外汉语教学和教材理论与实践的新发展,制定了全套教材和各系列及各册教材的编写方案。编写委员会组织全体编者,对所有教材进行了全面更新。

适用对象

《发展汉语》(第二版)主要供来华学习汉语的长期进修生使用,可满足初(含零起点)、中、高各层次主干课程的教学需要。其中,初、中、高各层次的教材也可供汉语言专业本科教学选用,亦可供海内外相关的培训课程及汉语自学者选用。

结构规模

《发展汉语》(第二版)采取综合语言能力培养与专项语言技能训练相结合的外语教学及教材编写模式。全套教材分为三个层级、五个系列,即纵向分为初、中、高三个层级,横向分为综合、口语、听力、阅读、写作五个系列。其中,综合系列为主干教材,口语、听力、阅读、写作系列为配套教材。

全套教材共 28 册,包括:初级综合(Ⅰ、Ⅱ)、中级综合(Ⅰ、Ⅱ)、高级综合(Ⅰ、Ⅱ),初级口语(Ⅰ、Ⅱ)、中级口语(Ⅰ、Ⅱ)、高级口语(Ⅰ、Ⅱ),初级听力(Ⅰ、Ⅱ)、中级听力(Ⅰ、Ⅱ)、高级听力(Ⅰ、Ⅱ),初级读写(Ⅰ、Ⅱ)、中级阅读(Ⅰ、Ⅱ)、高级阅读(Ⅰ、Ⅱ),中级写作(Ⅰ、Ⅱ)、高级写作(Ⅰ、Ⅱ)。其中,每一册听力教材均分为"文本与答案"和"练习与活动"两本;初级读写(Ⅰ、Ⅱ)为本版补编,承担初级阅读和初级写话双重功能。

编写理念

"发展"是本套教材的核心理念。发展蕴含由少到多、由简单到复杂、由生疏到熟练、由模仿、创造到自如运用。"发展汉语"寓意发展学习者的汉语知识,发展学习者对汉语的领悟能力,发展学习者的汉语交际能力,发展学习者的汉语学习能力,不断拓展和深化学习者对当代中国社会及历史文化的了解范围和理解能力,不断增强学习者的跨文化交际能力。

"集成、多元、创新"是本套教材的基本理念。集成即对语言要素、语言知识、文化知识以及汉语听、说、读、写能力的系统整合与综合;多元即对教学法、教学理论、教学大纲以及教学材料、训练方式和手段的兼容并包;创新即在遵循汉语作为外语或第二语言教学规律、继承既往成熟的教学经验、汲取新的教学和教材编写研究成果的基础上,对各系列教材进行整体和局部的特色设计。

教材目标

总体目标：全面发展和提高学习者的汉语语言能力、汉语交际能力、汉语综合运用能力和汉语学习兴趣、汉语学习能力。

具体目标：通过规范的汉语、汉字知识及其相关文化知识的教学，以及科学而系统的听、说、读、写等语言技能训练，全面培养和提高学习者对汉语要素（语音、汉字、词汇、语法）形式与意义的辨别和组配能力，在具体文本、语境和社会文化规约中准确接收和输出汉语信息的能力，运用汉语进行适合话语情境和语篇特征的口头和书面表达能力；借助教材内容及其教学实施，不断强化学习者汉语学习动机和自主学习的能力。

编写原则

为实现本套教材的编写理念、总体目标及具体目标，特确定如下编写原则：

（1）课文编选上，遵循第二语言教材编写的针对性、科学性、实用性、趣味性等核心原则，以便更好地提升教材的质量和水平，确保教材的示范性、可学性。

（2）内容编排上，遵循第二语言教材编写由易到难、急用先学、循序渐进、重复再现等通用原则，并特别采取"小步快走"的编写原则，避免长对话、长篇幅的课文，所有课文均有相应的字数限制，以确保教材好教易学，增强学习者的成就感。

（3）结构模式上，教材内容的编写、范文的选择和练习的设计等，总体上注重"语言结构、语言功能、交际情境、文化因素、活动任务"的融合、组配与照应；同时注重话题和场景、范文和语体的丰富性和多样化，以便全面培养学习者语言理解能力和语言交际能力。

（4）语言知识上，遵循汉语规律、汉语教学规律和汉语学习规律，广泛吸收汉语本体研究、汉语教学研究和汉语习得研究的科学成果，以确保知识呈现恰当，诠释准确。

（5）技能训练上，遵循口语、听力、阅读、写作等单项技能和综合技能训练教材的编写规律，充分凸显各自的目标和特点，同时注重听说、读说、读写等语言技能的联合训练，以便更好地发挥"综合语言能力 + 专项语言技能"训练模式的优势。

（6）配套关联上，发挥系列配套教材的优势，注重同一层级不同系列平行或相邻课文之间，在话题内容、谈论角度、语体语域、词汇语法、训练内容与方式等方面的协调、照应、转换、复现、拓展与深化等，以便更好地发挥教材的集成特点，形成"共振"合力，便于学习者综合语言能力的养成。

（7）教学标准上，以现行各类大纲、标准和课程规范等为参照依据，制订各系列教材语言要素、话题内容、功能意念、情景场所、交际任务、文化项目等大纲，以增强教材的科学性、规范性和实用性。

实施重点

为体现本套教材的编写理念和编写原则，实现教材编写的总体目标和具体目标，全套教材突出了以下实施重点：

（1）系统呈现汉语实用语法、汉语基本词汇、汉字知识、常用汉字；凸显汉语语素、语段、语篇教学；重视语言要素的语用教学、语言项目的功能教学；多方面呈现汉语口语语体和书面语体的特点及其层次。

（2）课文内容、文化内容今古兼顾，以今为主，全方位展现当代中国社会生活；有针对性地融入与学习者理解和运用汉语密切相关的知识文化和交际文化，并予以恰当的诠释。

（3）探索不同语言技能的科学训练体系，突出语言技能的单项、双项和综合训练；在语言要素学习、课文读解、语言点讲练、练习活动设计、任务布置等各个环节中，凸显语言能力教学和语言应用能力训练的核心地位。并通过各种练习和活动，将语言学习与语言实践、课内学习与课外习得、课堂教学与目的语环境联系起来、结合起来。

（4）采取语言要素和课文内容消化理解型练习、深化拓展型练习以及自主应用型练习相结合的训练体系。几乎所有练习的篇幅都超过该课总篇幅的一半以上，有的达到了2/3的篇幅；同时，为便于学习者准确地理解、掌握和恰当地输出，许多练习都给出了交际框架、示例、简图、图片、背景材料、任务要求等，以便更好地发挥练习的实际效用。

（5）广泛参考《汉语水平等级标准与语法等级大纲》（1996）、《汉语水平词汇与汉字等级大纲》（2001）、《高等学校外国留学生汉语言专业教学大纲》（2002）、《国际汉语教学通用课程大纲》（2008）、《欧洲语言共同参考框架：学习、教学、评估》（中译本，2008）、《新汉语水平考试大纲（HSK1-6级）》（2009-2010）等各类大纲和标准，借鉴其相关成果和理念，为语言要素层级确定和选择、语言能力要求的确定、教学话题及其内容选择、文化题材及其学习任务建构等提供依据。

（6）依据《高等学校外国留学生汉语教学大纲（长期进修）》（2002），为本套教材编写设计了词汇大纲编写软件，用来筛选、区分和确认各等级词汇，控制每课的词汇总量和超级词、超纲词数量。在实施过程中充分依据但不拘泥于"长期进修"大纲，而是参考其他各类大纲并结合语言生活实际，广泛吸收了诸如"手机、短信、邮件、上网、自助餐、超市、矿泉水、物业、春运、打工、打折、打包、酒吧、客户、密码、刷卡"等当代中国社会生活中已然十分常见的词语，以体现教材的时代性和实用性。

基本定性

《发展汉语》（第二版）是一个按照语言技能综合训练与分技能训练相结合的教学模式编写而成的大型汉语教学和学习平台。整套教材在语体和语域的多样性、语言要素和语言知识及语言技能训练的系统性和针对性，在反映当代中国丰富多彩的社会生活、展现中国文化的多元与包容等方面，都做出了新的努力和尝试。

《发展汉语》（第二版）是一套听、说、读、写与综合横向配套，初、中、高纵向延伸的、完整的大型汉语系列配套教材。全套教材在共同的编写理念、编写目标和编写原则指导下，按照统一而又有区别的要求同步编写而成。不同系列和同一系列不同层级分工合作、相互协调、纵横照应。其体制和规模在目前已出版的国际汉语教材中尚不多见。

特别感谢

感谢国家教育部将《发展汉语》（第二版）列入国家级规划教材，为我们教材编写增添了动力和责任感。感谢编写委员会、编辑委员会和所有编者高度的敬业精神、精益求精的编写态度，以及所投入的热情和精力、付出的心血与智慧。其中，编写委员会负责整套教材及各系列教材的规划、设计与编写协调，并先后召开几十次讨论会，对每册教材的课文编写、范文遴选、体例安排、注释说明、练习设计等，进行全方位的评估、讨论和审定。

感谢中国人民大学么书君教授和北京语言大学出版社张健副社长为整套教材编写作出的特别而重要的贡献。感谢北京语言大学出版社戚德祥社长对教材编写和编辑工作的有力支持。感谢关注本套教材并贡献宝贵意见的对外汉语教学界专家和全国各地的同行。

、特别期待

○ 把汉语当做交际工具而不是知识体系来教、来学。坚信语言技能的训练和获得才是最根本、最重要的。

○ 鼓励自己喜欢每一本教材及每一课书。教师肯于花时间剖析教材，谋划教法。学习者肯于花时间体认、记忆并积极主动运用所学教材的内容。坚信满怀激情地教和饶有兴趣地学会带来丰厚的回馈。

○ 教师既能认真"教教材"，也能发挥才智弥补教材的局限与不足，创造性地"用教材教语言"，而不是"死教教材"、"只教教材"，并坚信教材不过是教语言的材料和工具。

○ 学习者既能认真"学教材"，也能积极主动"用教材学语言"，而不是"死学教材"、"只学教材"，并坚信掌握一种语言既需要通过课本来学习语言，也需要在社会中体验和习得语言，语言学习乃终生之大事。

李　泉

编写 **说明**

适用对象

《发展汉语·中级阅读》(Ⅰ)适合学过《发展汉语·初级读写》(Ⅱ)或与此程度相当的课本、具有中级汉语入门水平、大致掌握 2000–2500 个常用词的汉语学习者使用。

教材目标

通过题材广泛、内容实用的书面材料的阅读训练，全面提高学习者的汉语综合阅读理解能力。具体如下：

（1）通过阅读不同题材、体裁和风格的语言材料，提高学习者辨词识句能力和初步的语段语篇理解能力，抓主要内容、关键信息、文章大意的能力。

（2）通过多种形式的阅读，引导学习者按照实际上生活中的阅读需求和阅读习惯去阅读，并在获得真实的阅读体验的同时，不断增强汉语语感。

（3）通过多样化、立体化的练习设计，培养学习者的阅读技能，提高阅读训练的针对性和有效性。

（4）通过选文、体例、练习、难度等的合理安排，降低学习者的阅读疲劳，增强学习者的阅读和活动兴趣，提高学习者的综合阅读理解能力。

特色追求

（1）培养学习者多种阅读能力

通过细读、通读、略读和查读等不同方式，阅读每一课的 5 篇短文（复习课为 7 篇），在有限的课时内，达到一定的阅读量，真正做到"小步快走"；以完成多项阅读任务来增强阅读成就感，提高学习者的多种阅读能力。具体而言：

细读：要求学生仔细阅读，从文章整体到局部细节，从词句意义到逻辑关系，都要读懂。不但要理解字面意义，而且要学会推测、判断。一般不刻意限制阅读时限。

通读：要求学生从头到尾完整快速阅读，目的在于快速掌握文章的基本内容、重要细节、主要观点、作者态度。限时阅读。

略读：要求学生快速看懂文章大意、中心意思或某个语段的大意。不要求通篇阅读，有时甚至可以忽略某些不重要的信息。限时阅读。

查读：要求学生在资料中快速找出自己需要的信息，如文章页码、交通换乘信息、事件发生的时间地点、购物小票上的购物情况等。限时阅读。

（2）科学控制阅读材料的难度

严格控制选文长度，文章长度从 200～300 字逐渐过渡到 400～600 字（个别文章 700～800 字）。注重控制阅读材料的难度，教材定位充分考虑语言学习者的语言能力和阅读水平，通过控制词语等级、句式长短、内容复杂程度等降低阅读难度，使学习者在轻松愉快中阅读。

（3）注重选文实用性和练习多样性

选文充分考虑内容的实用性和领域的多样性，尽量选取实用、有趣、可读性强的文章，内容以反映当代中国现实生活为主，兼顾其他。阅读材料的语体风格多种多样，以便于学习者广泛接触汉语书面材料。以交际性练习为主，教材共有 19 种题型，每课练习形式多样，练习编排上体现前后难易梯度。

使用建议

（1）本教材共 15 课，建议每课用 2 课时完成。

（2）注意区别细读、通读、略读、查读等阅读方式，合理分配时间，把握节奏，引导学习者通过不同的阅读方式完成阅读任务。

（3）为了保证教学的灵活性，教材只给出了略读和查读的参考时间，对于细读和通读，教师可根据具体情况灵活处理。

（4）复习课可用于指导阶段性复习，总结各类阅读方式的学习要点，也可以作为期中考试或平时测验的材料。

特别期待

◎ 不必预习生词和课文内容，把阅读每一篇课文都当成一次限时测试。

◎ 坚信阅读时有不认识的字词和读不懂的地方是很正常的。

◎ 注意学习阅读汉语文献的技巧，阅读中要积极思考，大胆推测。

◎ 课下要把每一篇阅读课文都仔细读懂。

◇ 合理控制课堂节奏，给学生适当的时间压力，按时完成每课的阅读任务。

◇ 多分析阅读方法、技巧和策略，而不必关注个别字句是否完全读懂。

◇ 多从阅读模式、篇章结构、文体特点、语篇线索等角度引导学生阅读。

◇ 有计划地补充要求细读、通读、略读或查读的"可懂"阅读材料。

《发展汉语》（第二版）编写委员会及本册教材编者

目 录　Contents

1

文章一　山谷的起点

【细读　约 360 字】

一位烦恼①的母亲找到我，说她正为孩子的功课烦恼。

我说："孩子的功课应该孩子自己烦恼才对呀！"

她说："林先生，你不知道，我的孩子考试考了第四十名，可是他们班上只有四十个学生。"

我开玩笑地说："如果我是你，我一定会很高兴！"

"为什么呢？"

"因为你想想看，从今天开始，你的孩子不会再退步（fall behind）了，他一定不会落到第四十一名呀！"我说。

妇人听了笑了。

我继续说："这就好像爬山一样，你的孩子现在是在山的最低点，他只有一条路，就是往上走，只要你停止烦恼，鼓励（encourage）他，和他一起走，他一定会走出来。"

过了不久，妇人打电话给我，向我表示感谢，他的孩子果然成绩不断往上升。

我想到，最容易被人忘记的是，山的最低点正是山的起点（starting point），许多走进山里的人之所以走不出来，正是因为他们停住双脚，蹲②在山谷烦恼哭泣（qì）的缘故。

① 烦恼（fánnǎo）：worry。不高兴，不愉快。

② 蹲（dūn）：squat。

（选自林清玄散文）

一、根据文章内容选择填空，完成概要重述。

> A. 他们班最后一名
> B. 这就好像爬山一样
> C. 山的最低点，正是山的起点
> D. 现在十分烦恼
> E. 我一定会很高兴

一位母亲找到我，说她____1____。因为她的孩子考试考了第四十名，是____2____。我告诉这个母亲，"如果我是你，____3____！因为从今天开始，孩子不会再退步了。"妇人听了笑了。

我告诉她，____4____，"你的孩子现在是在山的最低点，他只有一条路，就是往上走，只要你停止烦恼，鼓励他，和他一起走，他一定会走出来。"不久，妇人打电话给我，向我表示感谢，他的孩子果然成绩不断往上升。

我想到，最容易被人忘记的是，____5____。

二、根据文章内容选择正确答案。（从ＡＢＣＤ四个选项中选择一个最佳答案）

1. 母亲为什么事情烦恼？（　　）
   - A. "我"的事
   - B. 孩子的同学
   - C. 孩子的功课
   - D. 自己的事

2. 孩子考试得了第几名？（　　）
   - A. 第一名
   - B. 最后一名
   - C. 第四十一名
   - D. 没有说明

3. "如果我是你，我一定会很高兴！"这句话的意思是：（　　）
   - A. 你不是"我"
   - B. "我"不是你
   - C. 你应该高兴
   - D. "我"应该高兴

4. 根据文章，作者认为在山的最低点怎么样？（　　）
   - A. 是好事
   - B. 是坏事
   - C. 没关系
   - D. 不好也不坏

5. 后来孩子的成绩怎样了？（　　）
   - A. 成了第一名
   - B. 成绩越来越好
   - C. 成绩越来越差
   - D. 没有变化

6. 根据文章，作者的看法是：（　　）
   - A. 孩子会爬山就有希望走出来。
   - B. 山的起点正是山的最低点，成功是失败的开始。
   - C. 人生好像爬山一样，只在山里进行。
   - D. 山的最低点正是山的起点，失败是成功的开始。

文章二　活珍珠①

① 珍珠（zhēnzhū）：pearl。

【通读　约 370 字】

② 摊子（tānzi）：vendor's stand。
③ 贝（bèi）：cowry。生活在水里的软体动物。

④ 小贩（xiǎofàn）：vendor。

　　在夏威夷（Xiàwēiyí）的夜市场，有一些卖活珍珠的摊子②。摊子上放一个水桶，桶中有水，水里都是珍珠贝③，每个珍珠贝卖 15 元，客人们可以自己挑选（select）。

　　珍珠贝选好后，小贩④把珍珠贝打开，从里面拿出一粒珍珠，幸运的话，会得到很大的珍珠，旁边的人就会热烈地鼓掌（clap one's hands）。小贩说，这些珍珠都是同一时间种在海里的，但有的很大，有的很小，有的很圆，有的很难看，连种珍珠的人，也不知道原因是什么。由于挖活珍珠贝实在让人看着不忍心，我很快就离开了。

　　种在珍珠贝里的小石子，会长出不同的珍珠，多么好的结果！人的生活也是一样，同样受伤（be injured），总有一些"贝"能长出最美、最大的珍珠。所以人也要像珍珠贝一样，要会自己帮助自己，转变生命的伤口，使它变成美丽的珍珠。人生的伤痛就是活的珍珠，能适应，就能发出美丽的光；不能适应，就加快了死亡的脚步。

（选自林清玄散文）

一、为下列句中画线部分选择合适的解释。（从ＡＢＣＤ四个选项中选择一个最佳答案）

1. 在夏威夷的<u>夜市场</u>，有一些卖活珍珠的摊子。（　　　）
   A. 开门晚的市场
   B. 从早晨开到晚上的市场
   C. 只在晚上卖东西的市场
   D. 方便市场

2. 从里面拿出一粒珍珠，<u>幸运的话</u>，会得到很大的珍珠。（　　　）
   A. 高兴的话　　　　　　　　B. 如果运气好
   C. 如果心情好　　　　　　　D. 如果不自己选

3. 总有一些"贝"能长出最美、最大的珍珠。（　　　）
   A. 这里指珍珠　　　　　　　B. 这里指贝
   C. 这里指人　　　　　　　　D. 这里指小贩

4. <u>人生的伤痛</u>就是活的珍珠。（　　　）
   A. 身体的伤害　　　　　　　B. 生活中的痛苦困难
   C. 一个人生病　　　　　　　D. 不清楚

二、这篇文章主要想告诉读者什么？（　　　）

   A. 夏威夷晚上有夜市场
   B. 人生的伤痛就像活的珍珠
   C. 珍珠是怎样做出来的
   D. 别人不能帮助你

文章三　换了一个位置

【通读　约390字】

除夕①，老人在家准备和面（huó miàn）包饺子。去厨房拿面盆时，老人一不小心，被脚下的东西绊②了一下，腿断了。等到儿子把她送到医院，处理（handle）完腿伤后，已是深夜。可是，老人不愿意待在医院，一定要回家过年。儿子知道母亲的性格，点头答应。

① 除夕（chúxī）：New Year's Eve。
② 绊（bàn）：cause to stumble。

虽然是除夕，街上来来往往的出租车仍有很多，但是儿子并没有叫车，而是小心地将母亲背在背上。儿子的背宽厚温热，一点儿也没有出租车的摇晃。

一路上，母子说说笑笑。快到家时，儿子笑着对母亲说："妈，小时候我生病时，你背着我去看医生。还记得你当时问过我一个问题吗？你问我，如果有一天你老了，走不动了，我会不会背你？妈，现在我正背着你呢。"

听了这些话，老人幸福得眼泪差点儿掉下来。几十年前与孩子说的一句玩笑话，自己早就忘得干干净净，没想到儿子还一直记在心里。

背与被背，只是换了一个位置，而母亲和儿子之间的亲情是永远不变的。

（选自《今日家庭报》，作者李忠言）

一、根据文章内容判断正误。（正确的画"√"，错误的画"×"）

1. 老人除夕腿摔断了。　　　　　　　　　　（　　　）
2. 老人不愿意去医院。　　　　　　　　　　（　　　）
3. 老人想在医院里过年。　　　　　　　　　（　　　）
4. 儿子没有打车，因为身上的钱不够。　　　（　　　）
5. 儿子做到了小时候答应过妈妈的话。　　　（　　　）

二、为下列句中画线部分选择合适的解释。（从ＡＢＣＤ四个选项中选择一个最佳答案）

1. 处理完腿伤后，已是深夜。（　　　）
   A. 医生治疗　　　　B. 解决问题　　　　C. 自己包好　　　　D. 医生问情况

2. 儿子知道母亲的性格，点头答应。（　　　）
   A. 儿子怕母亲
   B. 儿子了解母亲
   C. 母亲很厉害
   D. 母亲性格不好

3. 儿子的背宽厚温热，一点儿也没有出租车的摇晃。（　　　）
   A. 出租车的座椅不平
   B. 出租车不舒服
   C. 出租车走的路不好
   D. 出租车开得太快

4. 背与被背，只是换了一个位置，而母亲和儿子之间的亲情是永远不变的。（　　　）
   A. 亲人之间的感情
   B. 母亲和儿子的关系
   C. 亲爱的感情
   D. 亲密的感情

文章四　自行车文化

【略读　约 480 字　参考时间：6 分钟】

　　武汉将成为中国第一个拥有自行车专用道（bicycle lanes）的大城市。武汉市计划花 5536 万元建设自行车专用道 112 条，总长度 164.6 公里，同时，新建 464 个公共自行车停车场。

　　据统计，武汉主要城区有自行车 110 多万辆，电动自行车 50 多万辆，每天骑自行车出行的有 300 万人次，占 20.2% 的交通量，大大高于其他城市。随着自行车专用道的建成使用，骑车将更加安全，出行会更方便、快捷。

　　这让我想起另一则新闻。北欧的丹麦（Denmark），全国 500 万人口，拥有 400 多万辆自行车，首都哥本哈根（Copenhagen）60% 的市民每天骑自行车出行。

　　哥本哈根用了 20 多年时间，修建了总长度 300 多公里的自行车专用道，其中，市中心到火车站的自行车快速道，没有一个红灯，每天 3 万多骑车人，通过这条快速道上下班。为了骑车人安全，政府不允许汽车进入自行车专用道。同时，公务员（civil servant）会使用公务自行车，到同城内办公事，尽可能减少汽车的使用。

　　中国曾是自行车王国，但正在走西方的老路，城市交通几乎都以汽车为主，很多人不愿意骑自行车了。

　　其实，骑自行车没有污染①，是绿色文化；骑车可以健身，是体育文化；骑车省钱，是经济文化；自行车比汽车历史悠久（long），更是传统文化。

① 污染（wūrǎn）: pollution。

（选自《交通安全周刊》）

一、根据文章内容填表。

	武　汉	哥本哈根
自行车数量		
骑自行车人数		

二、根据文章内容填空。

1. 中国 _____ 市每天骑自行车出行的人大大高于其他城市。
2. 哥本哈根公务员用 _____ ，到同城内办公事。
3. 中国过去曾是 _____ ，但是现在的城市交通以 _____ 为主。

三、回答问题。

骑自行车出行有哪些好处？

怎么去八达岭长城

【查读　约270字　参考时间：6分钟】

八达岭长城是北京最著名的长城，是开放最早的一段长城，它位于北京延庆县。城墙全长3741米，高大坚固（firm），随着山峰高低起伏，十分雄伟（grand）。

去八达岭长城游览，最便宜的方式是先乘坐地铁或公交车，到德胜门下车，再换乘919路公交汽车，就可直达①八达岭长城脚下。快车每人10元，普通车每人5元（也走高速路），两种车都为五分钟发一辆车。

如果你是早上六点出发，下午一二点，当你从长城回来时，可能还会看到，早上九点出发的旅游车，还在去八达岭的高速公路上跑呢。

注意：去八达岭长城方向有很多车，建议你到德胜门门楼下的停车场上车，这里是919路的起点站，在这里上车，一定有座位。

------

① 直达（zhídá）：直接到达。

根据文章内容填空。

1. 八达岭长城位于 ＿＿＿＿＿＿＿＿＿＿＿＿。

2. 去八达岭最便宜方便的方式是 ＿＿＿＿＿＿＿＿＿＿＿＿＿＿＿＿＿＿＿＿。

3. 假如你和你的朋友一共5个人从德胜门乘坐919路快车去八达岭长城，往返需花费路费＿＿＿＿＿＿元。

4. 乘坐919路公交汽车去八达岭长城一定要注意 ＿＿＿＿＿＿＿＿＿＿＿＿＿＿＿＿。

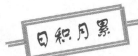

（从本课中找出5-8个你觉得有用的词语或句子）

2

【细读　约440字】

① 国家公务员（guójiā gōngwù-yuán）：national public servant。

快要毕业的弟弟，决定考国家公务员①。考的人很多，因为有能力，弟弟顺利通过笔试，成绩在2000名考生中排名第八。

60名考试成绩优秀者，接着进行面试。弟弟不慌不忙地回答问题，考官（examiner）微笑着，不断点头，第三题是"说说你最生气的一件事"。弟弟低头想了一会儿，说："我最生气的事情是，如果我取得好成绩，你们却不要我。"

回家后，弟弟向急等消息的爸爸报告情况。说到第三题的回答，爸爸摇摇头，说："回答得不好，怎么能那么说话？结果可能不会太好。"

结果出来了，我们全家终于等到了好消息——有6名考生被录用（hire），弟弟名列第五。

弟弟很高兴，但他很想知道，考官对自己第三题的回答是怎么想的。再次见面的时候，弟弟问考官先生："我第三题的回答，您还记得吗？不知您觉得怎么样？"

② 肩膀（jiānbǎng）：shoulder。
③ 胆小鬼（dǎnxiǎoguǐ）：coward, craven。胆子很小的人，有贬义。

考官拍拍弟弟的肩膀②，这样说："你说，一个连自己的权利都不敢要的胆小鬼③，如果是你的话，你愿意要这样的人为你工作吗？这样的人能为别人、为国家做些什么呢？"

弟弟说，这是一个对他影响很深，让他很难忘记的回答。

（选自《南方周末》，作者王艾荟）

一、根据文章内容判断正误。（正确的画"√"，错误的画"×"）

1. 毕业后弟弟报考了国家公务员考试。　　　　　　（　　　）

2. 弟弟顺利通过了笔试。　　　　　　　　　　　　（　　　）

3. 面试时弟弟回答问题很着急。　　　　　　　　　（　　　）

4. 国家公务员考试一共录用6人。　　　　　　　　（　　　）

5. 弟弟是60人中的优秀者。　　　　　　　　　　　（　　　）

6. 对于弟弟来说，考官的话含义很深，很难理解。　（　　　）

二、根据文章内容选择正确答案。（从ＡＢＣＤ四个选项中选择一个最佳答案）

1. 主考官是什么人？（　　　　）

A. 考试的老师　　　　　　　　　B. 学校的学生

C. 服务员　　　　　　　　　　　D. 办公室人员

2. 弟弟是个什么样的学生？（　　　）

    A. 有才能　　　　　　　　　　　B. 有勇气

    C. 有头脑　　　　　　　　　　　D. 以上各项

3. 对于第三题，弟弟的回答方式：（　　　）

    A. 不敢说　　　　　　　　　　　B. 很难让人理解

    C. 很直接　　　　　　　　　　　D. 大声

4. 爸爸对于弟弟会不会被录取的态度是：（　　　）

    A. 没有把握　　　　　　　　　　B. 一定不会

    C. 一定会　　　　　　　　　　　D. 没有说明

5. 根据文章，给弟弟面试的主考官：（　　　）

    A. 有水平　　　　　　　　　　　B. 很糊涂

    C. 有把握　　　　　　　　　　　D. 没眼力

三、谈一谈。

弟弟找工作为什么成功了？

_____

_____

_____

_____

文章二　带父母去旅行

【通读　约460字】

    一位高中的同学跟我讲，过几天要带父母去北京旅行。他自己去过北京多次，这次是专门带父母去的。我对他说，带父母去旅行，是做孩子最快乐的事。他很同意我的观点。

    带父母去旅行，我曾经也有过这样的想法。前年，我的父亲发现有病，我才认真地提出，可是还没有等我去做，父亲就病倒了，后来做了手术，还没有完全好过来，父亲便去世了。"子欲（yù）养而亲不待"，这成了我心中永远的遗憾①、永远的痛。

    第二年夏天，我便带母亲去了昆明。母亲第一次坐了飞机，第一次在儿子的陪伴下，去了很远的地方。那些日子，我陪着母亲在昆明周围旅行，去看石林、民族园、世博园……母亲其实并不在乎看了什么，也并不一定能喜欢多少风景，在她的眼里，风景也许并不重要，重要的是有儿子陪伴着。那段日子，母亲一定很开心，我也很开心。

    带父母去旅行吧，在他们还健康的时候。对老年人来说，时间不多了，

① 遗憾（yíhàn）：regret。

病痛随时会到来，不要等待了。

带父母去旅行吧，其实他们想要的，不一定是风景，只要孩子心中对他们有一点爱心，他们会格外高兴的。

带父母去旅行吧，那是孩子的责任②，也是人生最大的幸福。

（选自网络文章）

② 责任（zérèn）：duty。

根据文章内容选择正确答案。（从ＡＢＣＤ四个选项中选择一个最佳答案）

1. 文章的主要内容是：（　　　）
    A. 带父母去北京
    B. 带父母去旅行
    C. 人生最大的幸福
    D. 子女最快乐的事

2. 根据文章内容，"子欲养而亲不待"的意思是：（　　　）
    A. 子女想孝敬父母时已经晚了
    B. 子女想养父母，父母不愿意
    C. 子女想养父母，父母不愿等
    D. 子女想孝敬父母，父母已经死了

3. 这篇文章的作者是什么人？（　　　）
    A. 父亲　　　　B. 儿子　　　　C. 高中同学　　　　D. 母亲

文章三　并非童话

【通读　约690字】

人要是倒霉（dǎoméi），做什么事情都不顺……

小白兔一大早高高兴兴地出门了。走着走着，遇到了大灰狼，大灰狼一把抓住小白兔，"啪啪！"抽了它两个大嘴巴，然后说："我叫你不戴帽子！"

第二天，小白兔戴上帽子又出门了，走着走着，又遇见了大灰狼，大灰狼又一把抓过小白兔，"啪啪！"抽了它两个大嘴巴，然后说："我叫你戴帽子！"

小白兔非常生气，就跑到老虎那里去，老虎听了小白兔的话，说，你放心好了，我会帮助你的。

老虎找来了大灰狼，对他说："老狼，咱俩是多年的好朋友了，今天上午小白兔来，说你老是欺负①它，你看你能不能换个理由打它，比如你可以说，兔子，你去给我找块肉来！要是它找来肥的，你就说你要瘦的，要是它

① 欺负（qīfu）：bully。

找来瘦的，你就说你要肥的，这样你不就又可以打它了吗？要不你就让它帮你找母兔子，它要找了胖的，你就说你喜欢瘦的，它要找了瘦的，你就说你喜欢胖的！再不然，你就让它替你考文凭（diploma），它考 TOEFL，你就说你要 HSK，它考 HSK，你就说你要 TOEFL。"

老狼听了以后十分高兴，夸老虎聪明。可是他们的话被在房子外面种菜的小白兔听见了，小白兔快要气死了！

第三天，小白兔又出门了，果然，在半路上遇见了大灰狼，大灰狼说："兔子，你去给我找块肉来！"小白兔说："你要肥的还是瘦的？"大灰狼皱了皱眉头②，心想，还好还有第二招："算了算了，不要肉了，你去给我找个母兔子来。"小白兔说："你喜欢胖的，还是喜欢瘦的？"大灰狼又皱了皱眉头，笑了笑，心想，还好还有第三招："算了算了，不要兔子了，你去帮我考试去吧。"小白兔说："你是要考 TOEFL 还是 HSK？"

大灰狼愣③了一下，"啪啪！"抽了兔子两个大嘴巴："我叫你不戴帽子！"

② 皱眉头（zhòu méitóu）：frown。不高兴或者不明白的样子。

③ 愣（lèng）：stupefied。

（选自网络文章）

一、回答问题。

1. 第一天大灰狼为什么打小白兔？

2. 第二天大灰狼为什么打小白兔？

3. 老虎是谁的朋友？它对小白兔的态度怎么样？

4. 第三天发生了什么事？

二、补写文章最后一段。

文章四　登山去香山

【略读　约 430 字　参考时间：7 分钟】

① 宜人（yírén）：令人舒适。

② 有益（yǒuyì）：beneficial。对……有好处。

进入秋天，阳光充足、鲜花开放，天气也慢慢变得凉快起来。宜人①的气候最适合人们到野外活动，登山就是其中一项有益②身心健康的运动，不但锻炼了身体，而且放松了心情，真是一件好事情。

北京西边的香山，是一座名山，最高的地方是香炉峰，有 557 米高，有很多条山路到达山顶。一步一个台阶（step），有的地方还有扶手（handrail），大人孩子上山、下山时都很安全。

香山公园内有各种树木，绿树、花草成片。这里是北京空气最新鲜的地方之一，因此，每天有成千上万人到香山锻炼和游玩。

登山很容易，但是有以下几点需要注意：

选择一双合适的运动鞋，走起路来更轻松一些；衣服应多穿几件，在登山过程中，根据气温变化和身体情况可适当增减。

登山的时间和运动速度也很重要，不要走得太急。登山过程中不要休息，感到累可以慢一点儿。

雨天不影响登山，空气格外新鲜，锻炼效果更好。但要注意安全，小心路滑。

在登山前，对自己身体要了解。如有心、脑疾病时不要参加。老人登山，有伙伴更好，可以相互照顾。

总之（in a word），登山可以健身，但安全最重要。

（选自网络文章）

一、根据文章内容判断正误。（正确的画"√"，错误的画"×"）

1. 登山是一项有益身心健康的运动。　　　　　　　　　　　　　（　　）
2. 香山有多条山路可以到达山顶。　　　　　　　　　　　　　　（　　）
3. 因为有的地方没有扶手，大人孩子上山、下山时都不太安全。（　　）
4. 每天有成千上万人到香山健身和旅游。　　　　　　　　　　　（　　）
5. 登山过程中不要休息，如果感到疲劳可放慢速度。　　　　　　（　　）
6. 雨天不能去登山。　　　　　　　　　　　　　　　　　　　　（　　）

二、根据文章内容填空。

1. 登山是一项有益身体健康的运动，既＿＿＿＿＿＿＿，又＿＿＿＿＿＿＿。
2. 香山公园空气新鲜是因为＿＿＿＿＿＿＿＿＿＿＿＿＿＿＿＿＿。
3. 登山需要准备一双＿＿＿＿＿＿，应多穿几件＿＿＿＿＿＿；登山过程中，不宜＿＿＿＿＿；＿＿＿＿＿也不影响登山；如有心脑疾病时＿＿＿＿＿；老人登山，最好＿＿＿＿＿。

实用
阅读

全国人口普查①

① 人口普查（rénkǒu pǔchá）：
population census。

【查读　约 520 字　参考时间：7 分钟】

中国第六次人口普查登记时间：2010 年 11 月 1 日零时

中国人口普查大体（generally）10 年进行一次。

1949 年以来，中国进行了六次全国人口普查，分别在 1953 年、1964 年、1982 年、1990 年、2000 年和 2010 年。

1953 年，为了配合人民代表大会②的选举（election），也是为了国民经济第一个五年计划的制定，中国进行了第一次全国人口普查。普查内容包括居住地址、姓名、性别、年龄、民族等 6 项。

② 人民代表大会（rénmín dàibiǎo dàhuì）：people's congress。

1964 年，为了第三个五年计划和长远规划（long-term plan）的制定，中国进行了第二次全国人口普查。普查内容除了 1953 年普查的 6 项外，又增加了文化程度、职业等 3 个项目。

1982 年，"文化大革命"结束后，为了给国家制定政策和计划提供准确、详细的人口数据（data），中国进行了第三次全国人口普查。普查内容增加到 19 项，并第一次使用计算机进行数据处理。

1990 年，为了制定"八五"计划，并为中国经济和社会发展提供可靠（reliable）的依据，中国进行了第四次全国人口普查。为了应对人口迁移③和流动人口数量的增多，普查内容增加了人口迁移的内容。

③ 人口迁移（rénkǒu qiānyí）：population movement。

2000 年，为了科学制定国民经济和社会发展规划，中国进行了第五次全国人口普查。这次普查不但在内容上有增加，在技术上也有发展。

第六次人口普查是 2010 年 11 月进行的。结果显示全国总人口为 13 亿 7 千万人。男性占全国总人口的 51.27%，女性占 48.73%。

（选自网络文章）

回答问题。

1. 中国已经进行了几次人口普查？

---

2. 第一次使用计算机进行数据处理是什么时候？

---

3. 1990年的普查内容增加了什么？

（从本课中找出5-8个你觉得有用的词语或句子）

3

文章一　大爱农民

【细读　约470字】

一位农民在外地工作，乘车回自己的老家。到了离家50多里的地方，他突然感到自己身体病了，发烧、咳嗽①。从新闻中，他看到过，这可能是一种不能治的传染病②，心里便是一惊。

① 咳嗽（késou）: cough。
② 传染病（chuánrǎnbìng）: contagious disease。

他想，如果真是那种病，那么一车人就会被感染（infect）。他让司机把车停下来，自己走下车，慢慢走回家。

那几十里路，他走了很长时间。到了村口，真想回家喝一碗凉茶，马上见到他的妻子和老父亲。但他却停止了脚步。他怕自己的病，传给亲人和乡里人。

他就站在村口，大声叫着妻子的名字。他的妻子听到，来了。他让妻子给他一碗水，放在村口的一块大石头上，然后让妻子走远些，不要离自己太近。

水喝完了，他对妻子说："把父亲叫来。"妻子就把他的老父亲叫来了。他跪下③，朝老父亲磕（kē）了一个头，说："孩儿可能得了不好的病，这就上医院去，您老人家多保重（take care of oneself）。"说完，他在老父亲和妻子的眼泪中独自去了医院。

③ 跪下（guìxià）: go down on one's knees。

幸运的是，他得的不是不能治的传染病。

这是一个真实的故事，发生在江苏丰县。人们听到这个故事后，很受感动，称赞这位名叫张元俊的农民是个懂得大爱的人。

一滴水可以看见大海，许多河流可以形成大湖。人间的大爱，也是一样啊。

一、根据文章内容选择填空，完成概要重述。

一位农民从外地回家，快到家时，他突然发热、咳嗽。他想他可能得了治不了的传染病，___1___真是那种病，那么一车人都会被感染。他让司机把车停下来，自己下车，决定走回家。

到了村口，他真想回家喝一碗凉茶，见到他的家人。___2___他停下了脚步，他怕自己的病传染给亲人和乡亲们。

他站在村口，叫妻子的名字，他的妻子来了。他让妻子给他一碗水，放在村口的一块大石头上，___3___让妻子走远些。

他又让妻子把他的老父亲叫来。他朝老父磕了一个头，在老父亲和妻子的眼泪中，独自去了医院。___4___，他得的不是治不了的病。

1.（　　）A. 如果　　　　　B. 那么　　　　　C. 因为　　　　　D. 所以

2.（　　）A. 如果　　　　　B. 那么　　　　　C. 但是　　　　　D. 虽然

3.（　　）　A. 马上　　　　　B. 立刻　　　　　C. 然而　　　　　D. 然后
4.（　　）　A. 不幸的是　　　B. 令人高兴的是　　C. 倒霉的是　　　D. 难过的是

二、根据文章内容选择正确答案。（从ＡＢＣＤ四个选项中选择一个最佳答案）

1. 张元俊通过什么方法对传染病了解一点儿？（　　　）

　　A. 打工　　　　　B. 谈话　　　　　C. 看新闻　　　　D. 读书

2. 他为什么决定下车自己走路回家？（　　　）

　　A. 怕自己病在车上　　　　　　B. 怕一车人被感染

　　C. 怕司机被感染　　　　　　　D. 司机让他下车

3. 他在村口见了谁？（　　　）

　　A. 妻子　　　　　B. 父亲　　　　　C. 邻居　　　　　D. 妻子和父亲

4. 根据文章，张元俊是个什么样的人？（　　　）

　　A. 说真话的人　　　　　　　　B. 说假话的人

　　C. 懂得大爱的人　　　　　　　D. 只爱别人的人

三、根据文章内容判断正误。

（正确的画"√"，错误的画"×"，文中没有提到的画"○"）

1. 张元俊从外地开车回自己的老家。　　　　　　　（　　　）
2. 他在车上突然感到自己好像得了治不了的病。　　（　　　）
3. 他后来下车自己走回了家。　　　　　　　　　　（　　　）
4. 他站在村口叫来了妻子。　　　　　　　　　　　（　　　）
5. 他的妻子叫来了他的父亲。　　　　　　　　　　（　　　）
6. 他得的病不是治不了的病。　　　　　　　　　　（　　　）
7. 他的老父亲也有病。　　　　　　　　　　　　　（　　　）

文章二　　学会赞美①别人

【通读　约480字】

① 赞美（zànměi）：praise。

　　中国人常说：多一个朋友多一条路。怎样才能交更多的朋友？怎样才能和别人搞好关系？怎样才能每天有一个好心情？有一个最好的办法，就是学会赞美别人。

　　在生活中，有些人朋友很少，主要原因不是大家不喜欢他们，而是他们在与人相处时，总是对别人要求太高，在他们眼里，别人这个也不好，那个也不好，最后，所有的人都觉得他不好，没有人愿意和他交朋友，他成了一个不受欢迎的人。

　　有的人很喜欢说话，但是不懂得说话的方法，那就是不会说话。因为他说的话不好听，别人不容易接受，这样的人也会让人讨厌，即使有朋友，也会慢慢减少。最后还是一个不受欢迎的人。

如果你想成为一个被人喜欢的人，就必须学会赞美别人。因为，每个人都希望得到赞美，这是人人都需要的。赞美有很多的好处：老板对员工赞美，能使员工更加努力，取得更大成果；同学对同学、朋友对朋友赞美，能使关系更亲密②；父母适当地赞美子女，可使他们更进步，学习成绩更好。

② 亲密（qīnmì）: close, intimate.

一个善于（be good at）发现别人优点而且经常赞美别人的人，一定会受到别人的尊敬。

不过，要注意的是，赞美别人千万不能太过分③，如果赞美过分，别人会认为你不是个真诚的人。

③ 过分（guòfèn）: going too far. 超过了一定的程度。

（选自《青年知识报》，作者胡云华）

一、根据文章内容选择正确答案。（从ＡＢＣＤ四个选项中选择一个最佳答案）

1. 这篇文章的主要内容是：（　　　）

　　A. 赞美的原因　　　　　　B. 要学会赞美

　　C. 赞美的方法　　　　　　D. 怎样赞美别人

2. 作者认为如果一个人不会说话，就会：（　　　）

　　A. 影响身体健康　　　　　B. 影响学习

　　C. 影响交朋友　　　　　　D. 以上各项

3. 关于赞美别人的好处，作者提到了几种？（　　　）

　　A. 两种　　　　B. 三种　　　　C. 四种　　　　D. 五种

4. 作者认为，如果赞美别人过分就会：（　　　）

　　A. 让人高兴　　　　　　　B. 让人生气

　　C. 让人讨厌　　　　　　　D. 让人尊敬

5. 根据文章，表达"人与人之间的关系很好很近"，应该说：（　　　）

　　A. 关系亲近　　　　　　　B. 关系亲密

　　C. 关系亲爱　　　　　　　D. 关系亲热

二、根据文章内容填空。

1. 有些人朋友很少，不是大家不喜欢他们，_____他们在与人相处时总是对别人要求太高。

2. 在他们眼里，别人这个_____不好，那个也不好，最后，所有的人_____觉得他不好。

3. 有的人喜欢说话，但是不会说话，_____他说的话不好听，这样的人也会让别人讨厌。即使有朋友，_____会慢慢减少。

4. 如果想成为一个被人喜欢的人，_____就必须学会赞美别人。

三、根据文章内容选择填空。

```
A. 不是大家故意和他们过不去
B. 学会赞美别人
C. 要注意的是
D. 只会让别人讨厌
E. 一定会受到别人的尊敬和喜爱
```

一个人想要愉快地与别人交往，就应保持健康的心理，并且要　　1　　。

在生活中，有些人不讨人喜欢，主要原因　　2　　，而是他们在与人相处时总是对别人要求太高，造成矛盾。如果一个人话说得难听，　　3　　，慢慢失去朋友。

只有宽容地对待别人，才会和别人友好相处。一个善于发现别人优点并学会赞美别人的人，　　4　　。

不过，　　5　　，赞美别人千万不能太过分。

文章三　　中国汉语网正式开通

【通读　约460字】

新华网北京 7 月 8 日电（记者　郭丽琨）中国汉语网 8 日正式开通。它是为全世界正在快速增长的汉语学习者服务的。汉语网站为人们提供网上汉语教学，上面有丰富的汉语学习知识和中国文化资源（resource）。

中国汉语网工作人员说："语言是学会的，不是教会的。中国汉语网的最大特点是学习的互动（interaction）。"因此，互动教室、网络（luò）社区、博客（blog）成为这个网络的亮点。

据介绍，中国汉语网（www.linese.com）使用最新的互联网技术、MP4 视频（video）、MP3 音频（audio）技术，在学习中，可以连接世界各国的汉语学习者，可以与中国的汉语教师进行互动教学。同时，还通过博客、播客等方法，提供交流的平台（platform）。

汉语学习者进入网络社区——北京四合院，可以通过游戏的方式，了解北京的建筑、居民的生活情况，同时，又学习了汉语。今后，中国汉语网还会有颐和园（Summer Palace）、故宫（Imperial Palace in Beijing）、西藏布达拉宫（Potala Palace in Tibet）等网上社区。

中国汉语网连接着世界各地的孔子学院。虽然，中国汉语网现在只有中英文两个版本①，但是，在不久的将来，中国汉语网将有更多语言的版本出来，方便世界各地的朋友学习汉语。

① 版本（bǎnběn）：version。

（选自新浪网）

根据文章内容选择正确答案。（从ＡＢＣＤ四个选项中选择一个最佳答案）

1. 这是一篇什么文章？（　　　）

    A. 记叙文   B. 公文

    C. 新闻消息   D. 广告

2. 根据文章内容，中国汉语网的最大特点是：（　　　）

    A. 汉语知识丰富

    B. 汉语学习互动

    C. 互联网技术最新

    D. 中英文两个版本

3. 文章没有谈到以下哪个问题？（　　　）

    A. 中国文化资源

    B. 网络社区——北京四合院

    C. 汉语互动教学

    D. 汉语水平考试

文章四　天津"杨柳青"年画

【略读　约410字　参考时间：7分钟】

过去，中国人在过年的时候，总喜欢买几张喜气洋洋①的年画。中国的年画，以杨柳青最为出名。杨柳青是一个地名，距离天津市中心16公里，离天津机场30公里。

① 喜气洋洋（xǐqì yángyáng）：be bursting with happiness or joy。

这里的年画，历史很长，画的笔法很细，人物很美，色彩很鲜艳，内容也十分丰富，在中国北方地区很出名。

"杨柳青"年画的内容，大部分是娃娃。你看，上面这一张，一个活泼可爱的大胖娃娃，脸蛋红红的，笑呵呵的，非常让人喜爱。他手里拿着一朵粉红色的大莲花（lotus），还有一片绿油油的莲叶。怀里抱着一条几乎跟他一样大的鲤鱼②，上面还有四个字："莲（连）年有余（鱼）"。意思是，希望日子过得越来越富，一年一年，东西吃不完、用不完。这表达了中国人对新

② 鲤鱼（lǐyú）：carp。

的一年的美好愿望，整个画充满了喜庆欢乐。

有些年画是贴（paste）在大门上的，因此，又称门画。画的内容包括：门神、财神（God of Wealth）、门童。门神有两种：有捉（catch）鬼的；有手拿兵器的古代武士（warrior）。财神也分两种：文财神和武财神。门童有胖娃娃、鲤鱼跳龙门，等等。

（选自中华农历网）

根据文章内容选择正确答案。（从ＡＢＣＤ四个选项中选择一个最佳答案）

1. 杨柳青镇位于哪里？（　　　）

    A. 北京市　　　B. 天津市　　　C. 机场附近　　　D. 文中没有提到

2. "杨柳青"年画的内容大部分是：（　　　）

    A. 娃娃　　　B. 门神　　　C. 财神　　　D. 鬼

3. 门画的内容包括：（　　　）

    A. 门神、财神、门童

    B. 娃娃、莲花、莲叶

    C. 可爱的人

    D. 喜庆欢乐的人

五彩的霞（xiá）云

【查读　约400字　参考时间：7分钟】

自然界中，有五颜六色的云彩，霞云是我们最常见的彩云。

夏日傍晚，一场大雨之后，满天的雨云还没有散去，太阳从黑云的西边露出来，把天空中的乌云染①得一片金黄。这就是霞云。

美丽的霞云是怎样产生的？那是在日出与日落前后，天光的色彩。当阳光穿过大气层（atmospheric layer）时，蓝紫光减少，剩下的阳光，以红色为主，这部分红光，照到白云上，把白云染红。水汽含量（content）越多，霞的色彩就越鲜艳。

由于西风带的影响，中国大陆大部分地区的云，都自西向东走。而且，由于对流（convection），下午的云比上午容易降水。因此，在早上看到霞云，就表示云彩正在从西边移动过来，会越来越密；当晚霞出现，就表示西边已经变晴，云将在深夜后，变得无影无踪②。

中国古人很早就知道，用朝霞、晚霞预报天气。徐光启（Xú Guāngqǐ）在《农政全书》中写道："朝霞不出门，晚霞走千里。"意思是，早上看见满

① 染（rǎn）：dye。

② 无影无踪（wú yǐng wú zōng）：vanish or disappear without a trace。

天霞云，那很可能要下雨啦，晚上看到满天霞云，夜里就会天气转晴了。

（选自《博物》，作者卷云）

根据文章内容填空。

1. 美丽的霞云就是在日出与日落前后，_____。

2. 当阳光斜穿过大气层时，阳光以_____为主，照到白云上，_____。

3. _____含量越多，霞的色彩就越鲜艳。

4. 当晚霞出现，就说明西边_____。

日积月累

（从本课中找出5—8个你觉得有用的词语或句子）

文章一　中国生理学第一人林可胜

【细读　约420字】

神经（nerve）科学，作为一门独立学科出现，是近三十年的事。

中国的神经科学鼻祖，也是中国生理学鼻祖，他的名字叫林可胜，英文是 Robert K. S. Lim。

他父亲林文庆是华侨①，做过孙中山的医生，后来是厦门大学校长。

林可胜本人长期在国外成长和受教育。他的夫人是英国人。他的中文不好，"斗大的中国字认不得几个"。

1924年，林可胜到北平（北京旧称）协和医学院，成为医院第一位华人领导。他做过神经生理研究，以高标准和高要求造就了一批人才。他创办了英文的《中国生理学杂志（magazine）》，创立了中国生理学会。由于林可胜的研究工作和科学活动，神经生理研究在中国有了很好的开端。

抗战时，林可胜加入当时的中国政府和军队，亲自上前线，自己学会了开火车。

1949年，他离开了中国大陆。他告诉留在中国大陆的后辈，应该继续发展中国神经科学。

到美国后，林可胜继续关心中国的科学，特别是有关神经学科的发展。1969年林可胜去世（die）。

林可胜是美国科学院生命科学界的第一位华人院士（academician）。他是中国人的骄傲。

（选自网络文章）

① 华侨（huáqiáo）：overseas Chinese。在外国长期居住的中国人。

一、为下列句中画线部分选择合适的解释。（从ＡＢＣＤ四个选项中选择一个最佳答案）

1. 林可胜是中国神经科学的鼻祖，也是中国生理学的鼻祖。（　　　）

    A. 第一人　　　　　　　　B. 发明人

    C. 发现者　　　　　　　　D. 鼻子的祖先

2. 他的中文不好，"斗大的中国字认不得几个"。（　　　）

    A. 不认识几个汉字　　　　B. 只认识大字

    C. 不知道什么是斗　　　　D. 不会写汉字

3. 他做过神经生理研究，并以高标准和高要求造就了一批人才。（　　　）

    A. 制造了一批人才　　　　B. 培养了一批人才

    C. 选择了一批人才　　　　D. 训练了一批人才

4. 由于林可胜的研究工作和科学活动，神经生理研究在中国有了很好的开端。（　　　）

    A. 在中国有了好的开始　　B. 在中国很强

    C. 在中国发展很晚　　　　D. 在中国开始很早

二、根据文章内容选词填空。

也是　一直　第一位　所以　领袖　并且　亲自　去世

1. 林可胜是中国神经科学的鼻祖，_____中国生理学的鼻祖。
2. 他长期在国外成长和接受教育，_____中文不好。
3. 他在中国创办了英文的《中国生理学杂志》，创立了中国生理学会，_____开创了中国的神经生理研究。
4. 林可胜十分爱国，抗战时林可胜_____上前线，还学会了开火车。1949年离开中国，1969年在美国_____。
5. 林可胜_____关心中国的科学，特别是有关神经学科的发展。
6. 他是生命科学界_____华裔的美国科学院院士，是一位在科学、人格等多方面令人骄傲的、爱国的科学_____。

三、根据文章内容排序。

1. 1924年，他来到北平协和医学院担任领导。
2. 1949年，他离开了中国大陆。
3. 他创办了英文的《中国生理学杂志》，创立了中国生理学会。
4. 抗战时，林可胜加入当时的中国政府和军队。
5. 林可胜长期在国外成长和接受教育。
6. 到美国后一直关心中国的科学。
7. 林可胜是美国科学院生命科学界第一位华人院士。

正确顺序是：_____

文章二　不近"狗"情

【通读　约 530 字】

　　孙和平正在自己的肉店里忙，一只狗跑进来。孙和平嘴里嘘嘘（xū）地叫着，把狗赶了出去。可是不一会儿，狗又跑了回来。

　　孙和平觉得有些奇怪，他仔细一看：发现狗嘴里叼①着一个袋子，袋子外面露出一张纸条。孙和平打开纸条，只见上面写着："我要买 12 根香肠和一只羊腿，钱在袋子里。"孙和平往袋子里一看：钱果然在里面。于是他收起钱，把香肠和羊腿装进袋子。这时也该关门了，孙和平关了店门，好奇地跟在狗后面，决定看个明白。

　　那狗不慌不忙地穿过一条街道，来到一个十字路口，它放下嘴里的袋子，跳起来用爪子按下了旁边的红绿灯按钮②，接着它就蹲在地上耐心地等到绿灯亮，然后叼起袋子，穿过马路。孙和平紧紧地跟了上去。

① 叼（diāo）：hold sth in the mouth. 用牙咬着东西。

② 按钮（ànniǔ）：push-button.

23

那狗顺着马路来到一所房子前，它放下嘴里的袋子，用脚敲门，敲了一阵，见没人出来，就用身子一次一次地向房门撞去。

可是仍然没人来开门，于是那狗就跳上旁边的一面矮墙，接着跳进了花园，然后爬上窗户，用头撞了几下窗玻璃，接着回到门外，蹲在地上静静地等待。

孙和平越看越糊涂，正在这时，突然门开了，一个男人走出来，抬起脚对狗边踢边骂。孙和平很生气，他一个大步冲上去："你到底在干什么？这是一只多么聪明的狗啊！"

男人一声冷笑（sneer）："聪明？我的天，这是它第二次忘带钥匙了！"

（选自 QQT2 综合社区网站）

一、根据文章内容选择填空，完成概要重述。

A. 把香肠和羊腿装进袋子
B. 等到绿灯变亮
C. 因为狗忘带钥匙了
D. 叼着一个袋子
E. 见无人应答

一只狗跑进孙和平的肉店里来。他发现狗嘴里___1___，袋子外面露出一张纸条。纸条上面写着："我要买 12 根香肠和一只羊腿，钱在袋子里。"孙和平收起钱，___2___。这时也快关门了，孙和平关了店门跟在狗后面，想看个明白。那狗穿过一条街道，来到一个十字路口，用爪子按下了旁边的红绿灯按钮，___3___才穿过马路，来到一所房子前。它放下嘴里的袋子，用脚爪敲门，___4___，就用身子向房门撞去。没人来开门，那狗爬上窗户，用头撞了几下窗玻璃，接着回到门外，蹲在地上静静地等待。正在这时，门突然开了，一个男人走出来，抬起脚对狗边踢边骂。___5___。

二、根据文章内容判断正误。（正确的画"√"，错误的画"×"）

1. 孙和平是一个卖肉的。　　　　　　　　　　（　　　）
2. 文中的这只狗自己会买东西。　　　　　　　（　　　）
3. 这只狗过马路不会看红绿灯。　　　　　　　（　　　）
4. 孙和平跟着狗去主人家里要钱。　　　　　　（　　　）
5. 这只狗的家里没有人。　　　　　　　　　　（　　　）
6. 狗自己打开了家里的大门。　　　　　　　　（　　　）
7. 这只狗的主人对狗很不好。　　　　　　　　（　　　）
8. 孙和平打了这只狗的主人。　　　　　　　　（　　　）

三、汉语中有"不近人情"一词，意思是不合乎人的常情，不通情理。说说这篇文章题目的含义。

文章三　海豚①也会照镜子

【通读　约 510 字】

① 海豚（hǎitún）: dolphin。海洋动物。

　　"自我意识"，简单地说，就是知道"我"是谁。这是人类区别于其他动物的重要标志②之一。"自我意识"代表的是大脑聪明程度的高低。

② 标志（biāozhì）: sign。

　　目前，科学家们已经发现，除了人类之外，只有大猩猩（gorilla）等动物才具有"自我意识"。小孩子刚刚出生时，还没有"自我意识"，一般要长大到一岁半时，才能认出镜子里自己的形象（image），"自我意识"才开始生成。

　　科学家们发现，海豚具有"自我意识"，这并不让人感到惊奇。这是因为，海豚大脑的记忆力很高，只比我们人类差一点儿，而且它还有我们人类没有的、特别先进的声纳（sonar）系统。另外，它们喜欢一大群（qún）在一起生活。还有，海豚的社会结构③也十分复杂。

③ 结构（jiégòu）: structure。

　　为了证明海豚是不是具有"自我意识"（也就是证明，它在面对镜子时，能不能认出镜子里看到的就是自己），一所大学的动物学家们，设计了一种特别的方法：用一种颜色涂抹在海豚身上，然后让它照镜子——他们发现，海豚一次又一次游到镜子前，不断地转动身体，并且通过镜子，仔细看自己身体上的颜色标志。显然，海豚具有"自我意识"。

　　这一新发现，让大脑研究又前进了一大步。但是，让科学家们解释不清楚的是：在许多动物当中，为什么只有海豚的大脑这样发达（developed）呢？看来，研究还没有结束。

（选自《扬子晚报》）

一、根据文章内容判断正误。（正确的画"√"，错误的画"×"）

1. "自我意识"就是知道"我"是谁。　　　　　　　　　　（　　　）
2. 是否具有"自我意识"代表的是聪明程度的高低。　　　（　　　）
3. 小孩子刚刚出生时还不知道"我"是谁。　　　　　　　（　　　）
4. 科学家们发现海豚具有"自我意识"。　　　　　　　　（　　　）

5. 海豚的社会结构并不复杂。　　　　　　　　　　（　　　）

6. 让海豚照镜子是为了证明它们具有"自我意识"。　（　　　）

7. 现在科学家已经可以解释为什么海豚的大脑这样发达。（　　　）

二、根据文章内容选择正确答案。（从ＡＢＣＤ四个选项中选择一个最佳答案）

1. 小孩子刚刚出生时还没有"自我意识"。这说明：（　　　）

　　A. 人类一开始不聪明

　　B. 人的"自我意识"是后来产生的

　　C. 小孩子没有意识

　　D. 海豚比小孩子聪明

2. 海豚具有"自我意识"并不让人感到惊讶。这是因为：（　　　）

　　A. 海豚本来就聪明

　　B. 人类本来就聪明

　　C. 人类本来就知道海豚很聪明

　　D. 证明有无"自我意识"不困难

3. 证明海豚具有"自我意识"的照镜子方法：（　　　）

　　A. 没有用　　　　　　　　B. 很困难

　　C. 没成功　　　　　　　　D. 很有用

4. "它们喜欢一大群在一起生活"，这里的"一大群"的意思是：（　　　）

　　A. 一大堆　　　　　　　　B. 数量很多

　　C. 很拥挤　　　　　　　　D. 分小组

文章四　中国有多少大学生

【略读　约360字　参考时间：7分钟】

1949年至今，中国大学生人数发生了很大变化。

一组数据：大学生人数1949年大约12万；1966年大约60万；1978年80万；1995年163万；2008年2700万。这期间，中国人口的数字也在变化：1949年5.41亿；1966年7.42亿；1978年9.61亿；1995年12.11亿；2008年13.22亿。由此可以算出，大学生在人口中所占比例分别为：2.22‰、8.1‰、8.32‰、1.35%、2.04%。

可以看出，大学生在中国人口中所占的比例（proportion）一直不大。改革开放以后，特别是近年大学扩招①之后，虽然大学生人数成倍增长②，但中国人口中大学生所占比例，仍然不高。

统计数字也告诉我们，中国的高等教育正在从精英（elite）教育向素质教育、大众教育转化，这是中国教育制度的进步。高考，不应再是"改变人

① 大学扩招（dàxué kuòzhāo）：expansion of university enrollment。

② 成倍增长（chéngbèi zēngzhǎng）：increase several times over。

生、改变命运"的代名词③，应该是普通人都可以达到的目标了。

　　随着大学生人数的变化，中国的高等教育，从学校的专业到学校管理，从培养方向到培养目标，也应该改革（reform）。

③ 代名词（dàimíngcí）：synonym. 代替某种名称、词语或说法的词语。

（选自网络文章）

根据文章内容填空。

　　1. 从1978年到1995年，大学生增加了 _____ 万，用了 _____ 年时间。

　　2. 从1995年到2008年，大学生增加了 _____ 万，用了 _____ 年时间。

　　3. 大学生人数的不断变化表明，高等教育制度应该逐步 _____。

招募①博物馆讲解志愿者

① 招募（zhāomù）：recruit. 招聘人员。

【查读　约200字　参考时间：6分钟】

　　根据博物馆的工作需要，现面向在校大学生招募博物馆讲解志愿者。招募要求和报名方法如下：

　　一、招募要求：

　　1. 在校大学生身心健康者；

　　2. 具有较高素质；

　　3. 对历史有一定的了解程度；

　　4. 热心公益事业，具有志愿服务精神；

　　5. 语言能力较强者优先。

　　二、报名方法：

　　1. 下载并填写《博物馆讲解志愿者信息表》；

　　2. 信息表提交方法分电子版和打印版两种：

　　　　电子版请发送至邮箱 twxcb@uc.edu.cn，

　　　　打印版请交至活动中心201办公室。

　　3. 报名截止时间：9月24日（周四）。

一、根据文章内容填空。

　　1. 本次博物馆招募的是 _____。

　　2. 招募的最后日期是 _____ 月 _____ 日。

二、下面是一个博物馆讲解志愿者的报名学生信息，请按照项目填入下表。

　　李大光，男，22岁，广东人。北京大学中文系三年级学生，住青年公寓335房间，电话82513456，手机号13650012882。中学六年在上海第一中学，母亲为朝鲜族，本人会说广东话、朝鲜语、上海话、普通话。本学期周一、周三上午有专业课，周二下午有选修课，其余时间空闲。李大光认为，为了观众更好地参观，博物馆应该制定一份详细的参观时间表和馆藏物品的介绍手册。

博物馆讲解志愿者信息表

姓名	性别	年龄	学校	专业	联系方式 （手机及宿舍电话）	照片

简历		
初中		擅长①的语言 （包括地方语言，如粤语）
高中		

课程安排（没课的时间请打"√"）

星期一		星期二		星期三		星期四		星期五	
上午	下午	上午	下午	上午	下午	上午	下午	上午	下午

建议：

---

① 擅长（shàncháng）：be good at。

（从本课中找出5-8个你觉得有用的词语或句子）

文章一　买牙膏

【细读　约590字】

一般是我的妻子为全家人买牙膏。可是现在，我一个人旅行在外，正好没牙膏。我去旅馆附近的一家商店。

当我走进商店，一个年轻的先生问我，需要什么。听了我的回答，他想了一想。"请跟我来，"他低声说，把我带到一个角落①，"是您自己用的吗？""是的，"我说，"当然，我的妻子和孩子们都能使用。"

"啊！您需要一支多用途（multi-purpose）牙膏！""并不完全这样，"我反对说，"我只需要一管用于刷牙的牙膏。"

他不听我的话，继续说："好吧，请看，这里有45种多用途家庭用牙膏。"他停了一下，看着我，"您用的是电动②牙刷还是手动牙刷？"

"老式手动牙刷。"年轻人把我带到柜台③前。"这是用于手动牙刷的32种牙膏。"

"随便给一只吧。"我赶紧说。

他拿着一支牙膏问道："您一定是想买一种又好用、又好闻④的牙膏吧？""正是这样。"我回答，同时手伸向了牙膏。

可是他马上把牙膏藏在背后。"这种牙膏对您不合适！"我说："为什么？"

他后退两步对我说："您很瘦，我建议您用这种。""好吧，给我一支。"我叹了一口气。"但我们不能忘记您的夫人也要用这种牙膏，"他说，"请告诉我您夫人头发的颜色？""黑色。""那么，我建议您买这种。"我同意了。

"这里有4种价格的牙膏。"他又说。"随便给我一支吧。"我回答。他转过身，从货架⑤上取下了6支牙膏。

我一下子冲（rush）出门外，我听见他还在问："您能告诉我，您想要多少钱的？因为我们有……"

（选自百度文库）

① 角落（jiǎoluò）: corner。

② 电动（diàndòng）: electric。
③ 柜台（guìtái）: (sales) counter。

④ 好闻（hǎowén）: smell good。

⑤ 货架（huòjià）: goods shelf。

一、根据文章内容判断正误。（正确的画"√"，错误的画"×"）

1. "我"的妻子为全家人买牙膏。　　　　　　　　　（　　　）
2. "我"不会买牙膏。　　　　　　　　　　　　　　（　　　）
3. 妻子不在家，旅行去了。　　　　　　　　　　　（　　　）
4. 旅馆附近没有卖牙膏的。　　　　　　　　　　　（　　　）
5. 年轻人不想卖给"我"牙膏。　　　　　　　　　　（　　　）
6. "我"最后终于买了一支牙膏。　　　　　　　　　（　　　）

二、根据文章内容选择正确答案。（从ＡＢＣＤ四个选项中选择一个最佳答案）

1. 作者为什么要买牙膏？（　　　）
   A. 家里的牙膏用完了　　　　　　　　Ｂ. "我"旅行忘了带牙膏
   C. "我"想换一种牙膏　　　　　　　　Ｄ. 旅馆的牙膏不好

2. 可以看出，卖牙膏的年轻人对"我"如何？（　　　）
   A. 很冷淡　　　　Ｂ. 不热情　　　　Ｃ. 太热情　　　　Ｄ. 很随便

3. 对于年轻人对"我"的态度，"我"觉得怎么样？（　　　）
   A. 很喜欢　　　　Ｂ. 很讨厌　　　　Ｃ. 很麻烦　　　　Ｄ. 很生气

4. 这家商店的牙膏怎么样？（　　　）
   A. 很好　　　　Ｂ. 很不好　　　　Ｃ. 很多　　　　Ｄ. 很便宜

5. "我一下子冲出门去"中的"冲"的意思是什么？（　　　）
   A. 快走　　　　Ｂ. 快跑　　　　Ｃ. 慢走　　　　Ｄ. 慢跑

三、根据文章内容完成句子。（从ＡＢＣＤＥＦ中为每个句子选择一个最佳答案）

> A. 自己能用，妻子和孩子们也都能用
> B. 电动牙刷使用的牙膏
> C. 手动牙刷
> D. 又好用、又好闻的牙膏
> E. 瘦人用的牙膏这种好
> F. 黑色头发用的牙膏在这里

1. 我需要一支多用途牙膏，＿＿＿＿＿＿＿＿＿＿＿＿＿＿＿＿。
2. ＿＿＿＿＿＿＿＿＿＿＿＿＿＿不能用在手动牙刷上。
3. 头发的颜色与牙膏也有关系，＿＿＿＿＿＿＿＿＿＿＿＿＿＿＿。
4. ＿＿＿＿＿＿＿＿＿＿＿＿＿＿人人喜欢。

文章二　一封求职信

【通读　约430字】

尊敬的王先生：

　　您好！感谢您在百忙之中审阅①我的材料。

　　我是北京大学生物工程系的应届（yīngjiè）毕业生，即将完成大学课程。

　　四年前，我考入了北京大学，我一直努力使自己成为一名高水平的、具有多方面知识的人。

　　学习方面，我在学习专业知识的同时，积极参加课外实践活动，培养了

① 审阅（shěnyuè）：check, go over。认真地看。

比较强的动手能力，尤其在计算机方面，我能将计算机知识与专业知识结合起来，解决一些实际问题。

② 环保（huánbǎo）：environmental protection。环境保护。

社会实践方面，在校内，我参加了环保②协会、排球协会，是排球协会的主要负责人之一；在校外，我组织过家教中心，还义务参加过环保知识宣传。

日常生活中，我坚持锻炼身体，多次参加过校运动会、系运动会。与身边的同学友好交往，谁有困难，我都会热情相助。

认真负责，是我的性格特点。不管做什么事情，答应的，我一定做好。认准了目标，我一定会坚持到底。

我很年轻，经验不足，但我相信，我会不断进步。我知道，一个人应该"活到老，学到老"，因为"学到老，学不了"。这是我的人生格言（maxim）。

请您给我一个机会。谢谢您！

此致

敬礼！

叶 飞

2011年3月27日

一、根据文章内容判断正误。（正确的画"√"，错误的画"×"）

1. "我"是北京大学生物工程系一名应届毕业生，已经完成大学课程。　　（　　　）
2. "我"积极参加课外实践活动，有较强的动手能力，尤其在计算机方面。（　　　）
3. "我"能把计算机知识与专业知识结合起来，解决一些实际问题。　　（　　　）
4. 虽然"我"没有工作过，但"我"有很多经验。　　　　　　　　　　（　　　）
5. "活到老，学到老"是一句格言。　　　　　　　　　　　　　　　（　　　）

二、为下列词语选择正确的解释。

1. 审阅（　　　）　　　　A. 多方面。
2. 应届（　　　）　　　　B. 真诚对待别人。
3. 综合（　　　）　　　　C. 认真仔细地看。
4. 义务（　　　）　　　　D. 不要报酬做某事。
5. 以诚相待（　　　）　　E. 当年的，本期的。（只用于毕业生）

三、根据文章内容选择正确答案。（从ＡＢＣＤ四个选项中选择一个最佳答案）

1. 求职信中"我"没有提到以下哪个方面？（　　　）

A. 日常生活　　　　　　　　　B. 社会实践

C. 学习方面　　　　　　　　　D. 父母家人

2. "我"自己认为，什么是"我"的缺点？（　　　）

A. 以诚相待　　　B. 年轻　　　C. 坚定的意志　　　D. 自信

3. 文中的"课外辅导"是指：（　　　）

A. 家务　　　　　B. 家教　　　　　C. 家政　　　　　D. 家庭

4. "学到老，学不了"的意思是什么？（　　　）

A. 要学的东西不多，老了就可以学完

B. 要学的东西太多，人生很短，老了也学不完

C. 不爱学习的人，老了也学不完

D. 爱学习的人，老了就能学完

文章三　该哭就哭

【通读　约500字】

一位大学教授告诉我，他每次遇到压力（pressure）和困难，就放开一切，去看场电影，"我选择一部特别伤感（sentimental）的片子，大哭一场。"

一位有三个孩子的年轻母亲，也用同样的办法。每当孩子太吵闹，或者家里没钱，不能再买一件孩子的冬衣时，她就把孩子们送到奶奶家去玩，她自己留在家里，听听音乐，哭一场。

你可能说，这是无能（incapable）的表现。我以为，这些人找到了有用的方法，它可以避免伤害自己的身体。

许多人都认为，眼泪一定是特别伤心的表现。有时，一个人伤心的情绪，是一点一点增加的，时间长了，积累（accumulate）多了，结果就会哭。一个人如果伤心，可是不能哭，疾病就会来到。

哭是很自然的事，但好像并不那么容易。小孩子，可以随便哭，但是爱哭的孩子总是让人讨厌的；女人，哭的时候比较多。伤心可以哭，高兴极了，也可以哭；男人，却不能随便哭泣，否则，就不像个男人。

大多数的人，会哭，也哭过，却不愿意承认。最有男人味的人，会在特别紧张或努力后流泪。足球队员在比赛完后，不管胜了还是败（defeat）了，常常有人哭泣。一位飞机试飞员说，他在试飞后，有时忍不住流泪，就坐在飞机上哭一场。

为了快乐和健康，我们应当学会：该哭就哭。

当然哭不是唯一①的。

① 唯一（wéiyī）：only.

（选自《北京晚报》）

一、根据文章内容判断正误。（正确的画"√"，错误的画"×"）

1. 一位大学教授因为看电影大哭一场。　　　　　　　　　　　（　　　）

2. 哭是一种不伤害身体而有效果的解除压力的办法。　　　　　（　　　）

3. 一个人可以悲伤，但绝对不能哭。　　　　　　　　　　　　（　　　）

4. 哭泣是件很自然的事。 （　　）
5. 女人最喜欢大哭。 （　　）
6. 大多数人会哭，但不愿意承认。 （　　）

二、拓展练习：说一说，下列情况下该哭不该哭？哭完怎么办？

1. 阅读考试生词太多，看一遍不懂，两遍不懂，三遍还是不懂。

- -

- -

2. 与男（女）朋友分手，觉得再也找不到这样好的人。

- -

- -

3. 同屋爱闹你爱静，晚上不能睡觉。

- -

- -

文章四　人为什么会老

【略读　约530字　参考时间：8分钟】

① 长寿（chángshòu）：long life。

② 线粒体（xiànlìtǐ）：mitochondrion。

③ 衰老（shuāilǎo）：grow old。
④ 毁掉（huǐdiào）：destroy。

⑤ 混乱（hùnluàn）：chaos。

住在三楼、二楼和一楼的人，谁活得更长久？有人研究的结果是：住在二楼的人比较长寿①。因为一楼的人，不需要走楼梯；三楼的人，需要坐电梯；而二楼的人，因为坐电梯太慢，常常爬楼梯。爬一层楼梯，不算什么，但每天爬一层楼梯，就有可能延长寿命。运动能让人变老的时间晚一点儿，但并不能使人长生不老。到底是什么原因，使我们慢慢老去，走向死亡？

在我们生活的这个地球上，一切生物的细胞（cell）里，都有一种叫线粒体②的东西，是它们给我们生命的能量（energy）。

人类的活动，都靠线粒体。我们的每次呼吸（breathe），都带给它们氧气（oxygen）。但是，我们每呼吸一次，就会衰老③一点儿。给我们生命的氧气，也会慢慢地毁掉④我们。这又是为什么呢？

原来，在线粒体里面，我们呼吸的氧气，大部分被变成生命的能量，但也有些氧气变成自由基。自由基只要产生出来，就会破坏身体内的细胞。最后，引起细胞的老化、死亡。这不是吓人的话，就是自由基，这种我们自己产生的东西，从身体内部使我们慢慢衰老。

年轻人的脑子里，有很多很多线粒体，所以年轻人头脑好，有活力。但随着时间的过去，大脑因为对氧的不断需求，产生越来越多的自由基开始杀死线粒体。就像电池（battery），一节接一节地失去作用，我们大脑的记忆力，也一天天变差，最后，思维开始混乱⑤。

（选自 SOSO 问问网站）

一、根据文章内容判断正误。（正确的画"√"，错误的画"×"）

1. 运动能让人变老的时间晚一点儿。 （　　）

2. 运动不能使人长生不老。 （　　）

3. 呼吸是为了给线粒体氧气。 （　　）

4. 我们呼吸的氧气，有些变成自由基。 （　　）

5. 自由基不会破坏身体内的细胞。 （　　）

6. 自由基是我们自己身体内产生的东西。 （　　）

7. 自由基从身体内部使我们慢慢衰老。 （　　）

二、根据文章内容选择正确答案。（从ＡＢＣＤ四个选项中选择一个最佳答案）

1. 一楼的人不需要（　　），三楼的人需要（　　），而二楼的人因为坐电梯太慢，常常爬（　　）。

　　A. 走楼梯　坐电梯　楼梯

　　B. 楼梯　坐电梯　走楼梯

　　C. 坐电梯　走楼梯　楼梯

　　D. 楼梯　走楼梯　坐电梯

2. 在地球上，所有生物的细胞里都有（　　），是它们给我们生命的能量。

　　A. 自由基　　　　B. 氧气　　　　C. 呼吸　　　　D. 线粒体

3. 我们呼吸的氧气，大部分被变成生命的能量，但也有些氧气变成（　　）。

　　A. 线粒体　　　　B. 自由基　　　　C. 有用气体　　　　D. 有害气体

4. 随着时间的推移，我们大脑的记忆力慢慢减退，最后（　　）开始混乱。

　　A. 思考　　　　B. 思维　　　　C. 思路　　　　D. 思想

三、根据文章内容排序。

1. 开始杀死线粒体

2. 随着时间的推移

3. 我们大脑的记忆力也日渐减退

4. 脑子因为对氧大量需求而产生的自由基

5. 就像电池一节接一节地失效

6. 思维开始混乱

正确顺序是：＿＿＿＿＿＿＿＿＿＿＿＿＿＿＿＿＿＿＿＿＿

"水一方" 游泳馆告示

【查读　约380字　参考时间：6分钟】

开放时间

周一——周五　　　　　　　　　　　12：00—22：00

周六、日及节假日　　　　　　　　　10：00—22：00

价　格

周一——周五

12：00—16：00　本校学生（教工）8（12）元/2小时　　　校外30元（不限时）

16：00—22：00　本校学生（教工）10（15）元/2小时　　校外30元（不限时）

周六、日及节假日

10：00—14：00　本校学生（教工）8（12）元/2小时　　　校外30元（不限时）

14：00—22：00　本校学生（教工）10（15）元/1.5小时　校外30元（不限时）

儿童（身高一米以下）15元/次

办卡价格

1. 15次卡：3个月	300元	可多人使用，不限时
2. 20次卡：3个月	学生160元	
	教工260元	贴照片，本人专用，不限时
3. 50次卡：1年	880元	可多人使用，不限时
4. 月　卡：1个月	300元	贴照片，本人专用，不限时
5. 季　卡：3个月	800元	贴照片，本人专用，不限时
6. 年　卡：1年	2000元	贴照片，本人专用，不限时

咨询电话： 62514343

友情提示：

1. 买单次票，需要带本人有效身份证件。

2. 考深水证，须10元和一张本人近期1寸/2寸照片。

3. 校外人员无优惠。

4. 馆内卖游泳物品。

根据告示内容填空。

    1. 游泳馆周一至周五上午_____。

    2. 学生票价比教工票价_____。

    3. 单次票价格_____多次卡的平均单次价格。

    4. 校外人员单次票价格任何时段均为_____。

（从本课中找出5-8个你觉得有用的词语或句子）

文章一　中秋“和”美

【细读　约470字】

[1] 北京奥运会，让全世界认识了一个汉字：和。和谐（héxié）、和美、和顺……“和”能组成一个个美好的词语。一个“和”字传达了一个国家、一个民族的心意。有人这样解释“和谐”：和，口中有禾也，意思是人人都有饭吃；谐，人皆可言也，意思是人人都能说话。做到了这两点，才算是和谐社会。

[2] 农历①8月15日是中秋节，在“中秋”所包含的文化含义中，“和”成为中国传统文化的一个标志。

[3] 在人与自然的关系中，中华民族把大自然的完美时刻（八月十五月儿圆）作为自己的节日，把完满、和美，作为人生的最高目标，也把它作为亲人团圆（reunion）的时刻。

[4] 中秋的夜晚，中国人抬头看月、低头吃月饼，看到的，不仅仅是圆圆的月亮。月的团圆，使人想起自己的亲人和家庭。中秋的月下，千千万万的中国人走在回家的路上。

[5] 中秋的月亮，藏着中国人最美的感情，让天下的中国人思乡（homesick）。中秋夜晚的明月，那美好的月圆时刻，有着多少中国人的梦想！

[6] 中秋节是中国文化的一部分，传统节日给我们的感觉就是“和”，就是亲情，就是一条心。这些东西会一代一代传下去。

（选自新华社文章）

① 农历（nónglì）：Chinese lunar calendar。

一、根据文章内容判断正误。（正确的画“√”，错误的画“×”）

1. 在“中秋”的文化含义中，只有“和”这个意义。　　　　　　（　　　）
2. 大自然完美的时刻是指月圆时的那一刻。　　　　　　　　　（　　　）
3. 中秋节的传统食品是月饼。　　　　　　　　　　　　　　　（　　　）
4. 月圆时刻也是中国人团圆的时刻。　　　　　　　　　　　　（　　　）
5. 中秋节那天，千千万万的中国人会外出旅行。　　　　　　　（　　　）

二、请为第［1］［3］［6］段选择一个最合适的段意。

第［1］段：（　　　）

第［3］段：（　　　）

第［6］段：（　　　）

A. 中秋节的来历

B. “和”的含义

C. 中秋节是中国人团聚的节日

D. 中秋节是中国文化的一部分，会永远传下去

E. 中秋的月亮最美

三、选择合适的词语填空。

和美　和谐　和顺　感情　亲情　爱情　友情

1. 中国正在建设 _____ 社会。

2. 老人有一个 _____ 的大家庭。

3. 女儿性格温柔 _____。

4. _____ 一般指男女之情。

5. 父母与子女之间的 _____ 是人与人之间最真的 _____。

6. 是同学们的 _____ 感动了他。

文章二　女士也可以称"先生"

【通读　约 490 字】

如果在街上，向一位姑娘问："先生，请问到天安门怎么走？"很可能会遭到白眼。因为，一般人觉得，"先生"这个词，是对 18 岁以上男子的称呼，怎么可以用于女性？

读书时，读到"杨绛（Yáng Jiàng）先生是钱钟书先生的夫人"、"梅志先生是胡风先生的夫人，也是一位儿童文学作家和传记作家……"时，也觉得很奇怪。"先生"怎么可能又是"夫人"呢？带着这些问题，＿1＿，看到了对"先生"的解释：

在《现代汉语词典》里：

　① 老师。

　② 对知识分子和有一定身份成年男子的尊称。

　③ 称别人的丈夫或对人称自己的丈夫。

　④ <方>医生。

　⑤ 旧时称管账（zhàng）的人。

　⑥ 旧时称以说书、相面、算命、看风水等为业的人。

在更大的辞典——《辞海》里：

　① 父兄。

　② 老师。

　③ 妇女称自己的丈夫或称别人的丈夫。

　④ 某些方言地区称先生为医生。

　⑤ 道士。

在同样大的辞典——《辞源》里：

　① 始生之子，犹今言头生。

　② 父兄。

　③ 年长有学问的人。

　　④ 老师。

　　⑤ 文人学者自称。

　　⑥ 妻子称丈夫。

　　___2___，"先生"的意思这么多！原来，早就有女士被称为"先生"：宋庆龄、冰心、杨绛、梅志……她们都是在一些社会领域①中___3___，都是女中丈夫。我感到这几位女士能被称为___4___，其实，是人们对她们的一种特别的尊敬。

（选自《咬文嚼字》，作者张兆前）

---

① 领域（lǐngyù）：field, domain, realm.

一、将下面的4个选项填入文中适当的画横线位置上。

A. "先生"

B. 原来

C. 影响较大的人物

D. 我查了各种辞书（dictionary）

二、根据文章内容选择正确答案。（从ＡＢＣＤ四个选项中选择一个最佳答案）

1. 文章的主要内容是:（　　　　）

　　A. 女士可以称先生的原因

　　B. 女士称先生的错误

　　C. 哪些女士是特殊的

　　D. 男士如何称呼女士

2. 文中"遭到白眼"的意思是：（　　　　）

　　A. 喜欢　　　　　　　　　　B. 看不见

　　C. 让人生气反感　　　　　　D. 不理会

3. 对有些女士称先生，是对她们的：（　　　　）

　　A. 特别的尊敬　　　　　　　B. 特别的重视

　　C. 特别的看重　　　　　　　D. 特别的喜爱

4. 各种辞书对"先生"一词的解释都有的意义是：（　　　　）

　　A. 父兄　　　　　　　　　　B. 管账的人

　　C. 老师　　　　　　　　　　D. 道士

5. "女中丈夫"这个词语的含义应该是：（　　　　）

　　A. 女人中的男人　　　　　　B. 女人的丈夫

　　C. 女人的丈夫们　　　　　　D. 女人中能干的人

文章三 "老寿星①"与"寿比南山"的来历

【通读 约390字】

① 老寿星（lǎo shòuxing）: person who lives a long life。

在汉语中，很多词语都有自己的来历（origin）。

"老寿星"这个词，是中国人对长寿老人的尊称。为什么叫老寿星？长寿跟寿星到底有什么关系呢？

原来，寿星是天上的一个星座②的名字，又叫南极老人星。由于寿星这颗星的"寿"字和"长寿"的"寿"字一样，人们又认为日、月、星星永远存在，所以，人们就把长寿老人，包括上寿100岁，中寿80岁，下寿60岁的老人，都称为"老寿星"。

② 星座（xīngzuò）: constellation。

"寿比南山"，是给老年人过生日时用的祝愿（wish）语。那么，"祝您寿比南山"这句话又是什么意思呢？南山和人的长寿又有什么关系？

原来，南山是中国东部地区的云门山。这座山与其他山相比，有很大不同。因为，山上有一个大"寿"字，红红的颜色，特别明显（obvious）。这是明代人写的。字高7.5米、宽3.7米。一个"寿"字，就是一座山！

因为大山的生命长久，人们希望也像山一样长寿，所以，就有了"寿比南山"这句话。汉语里，这样的例子还有很多。

（选自《福州晚报》）

一、根据文章内容判断正误。（正确的画"√"，错误的画"×"）

1. 寿星本是一个星座的名字。　　　　　　　　　　　　　　　（　　）
2. "寿比南山"是给一个人过生日时常用的颂语。　　　　　　　（　　）
3. 人们把过生日的老人称为"老寿星"。　　　　　　　　　　　（　　）
4. 南山指的是中国南方地区的云门山。　　　　　　　　　　　（　　）
5. 人们说"寿比南山"是希望寿命也像山一样长。　　　　　　　（　　）

二、根据文章内容选择填空，完成概要重述。

寿星，是一个星座的名字，由于它的"寿"字和"长寿"的"寿"字一样，＿＿1＿＿，所以，人们就把"三寿"老人都称为"老寿星"。

南山，指的是云门山。山上有一个大"寿"字。人们希望寿命像山一样长，所以就用＿＿2＿＿。山是生命永存，"寿"与山一样，＿＿3＿＿"寿是一座山，山为一个寿"。

1.（　　）　A. 人们又认为日、月、星星永远存在　　B. 星星不会被日月消灭
　　　　　　C. 星星生命比日、月长　　　　　　　　　D. 日、月生命比星星长

2.（　　）　A."寿比南山"给年青人祝寿　　　　B."寿比南山"给儿童祝寿

　　　　　　C."寿比南山"给过生日的人祝寿　　D."寿比南山"给老年人祝寿

3.（　　）　A.这真是　　　　B.真是的　　　　C.也就是　　　　D.说真的

文章四　乡　愁①

① 乡愁（xiāngchóu）: homesickness。思念家乡的感情。

【略读　约130字　参考时间：3分钟】

小时候，

乡愁是一枚（méi）小小的邮票。

我在这头，

母亲在那头。

长大后，

乡愁是一张窄窄（zhǎi）的船票。

我在这头，

新娘（bride）在那头。

后来啊，

乡愁是一方矮矮（ǎi）的坟墓②。

② 坟墓（fénmù）: tomb。埋死人的地方。

我在外头，

母亲在里头。

而现在，

乡愁是一湾（gulf）浅浅的海峡③。

③ 海峡（hǎixiá）: strait。

我在这头，

大陆在那头。

一、将下面的5个选项填入下文中适当的画横线位置上。

A. 祖国之爱

B. 母子别、新婚别和生死别

C. 邮票、船票、坟墓、海峡

D. 乡愁

E. 小时候、长大后、后来啊、而现在

《乡愁》是余光中写的以___1___为主题的诗篇。他从自己的生活出发，使用___2___这四个特点鲜明的事物，又以___3___这种时间流程，概括了一个远离故乡的游子漫长的生活经历，表达出诗人独特的生活体验。

如果说前三节所写的___4___只是诗人的个人经历，那么，最后的第四节，是诗人把个人的悲欢情怀，与强烈的___5___合在一起，把个人的悲欢引向了民族统一的愿望。

二、背诵这首诗。

二十四节气①

① 节气（jiéqì）: solar term。

【查读 约560字 参考时间:6分钟】

中国是世界上最早使用历法（calendar）的国家之一，二十四节气就是中国古代人民总结出的一套气象历法。

二十四个节气，就是立春、雨水、惊蛰（jīngzhé）、春分、清明、谷雨、立夏、小满、芒种、夏至、小暑、大暑、立秋、处暑、白露、秋分、寒露、霜降（shuāngjiàng）、立冬、小雪、大雪、冬至、小寒、大寒。一年中每个月都有两个节气。

为了方便记忆，人们编出了二十四节气歌诀②：

② 歌诀（gējué）: verse。便于记忆的押韵的歌谣。

　　春雨惊春清谷天，夏满芒夏暑相连，

　　秋处露秋寒霜降，冬雪雪冬小大寒。

二十四节气名称的含义是这样的：

1. 立春：立是开始的意思，立春就是春季的开始。

2. 雨水：降雨开始，雨量增多。

3. 惊蛰：蛰是藏的意思。在土中睡觉的动物醒了。

4. 春分：分是平分的意思。表示白天夜晚一样长。

5. 清明：天气晴朗。

6. 谷雨：雨量增多，利于农作物生长。

7. 立夏：夏季的开始。

8. 小满：麦子开始生长。

9. 芒种：麦子成熟。

10. 夏至：热的夏天来到。

11. 小暑：暑是热的意思。小暑就是天气开始变热。

12. 大暑：一年中最热的时候。

13. 立秋：秋季的开始。

14. 处暑：处是停止的意思。表示热的暑天结束。

15. 白露：天气变凉。

16. 秋分：白天与夜晚一样长。

17. 寒露：露水更冷，快要凝结成霜。

18. 霜降：天气变冷，开始有霜。

19. 立冬：冬季的开始。

20. 小雪：开始下雪。

21. 大雪：天气更冷，降雪量增多。

22. 冬至：寒冷的冬天来到。

23. 小寒：天气开始寒冷。

24. 大寒：一年中最冷的时候。

（选自中国农历网）

一、写出下面节气的含义。

立春：

春分：

夏至：

二、参考下面的二十四节气表，查查现在是什么节气。

二十四节气

节气		公历	农历	节气		公历	农历
春	立春	2月4日19时46分	正月十四	秋	立秋	8月7日	六月二十二
	雨水	2月19日15时39分	正月二十九		处暑	8月23日3时28分	七月初八
	惊蛰	3月5日13时56分	二月十五		白露	9月7日15时44分	七月二十二
	春分	3月20日	二月三十		秋分	9月23日0时52分	八月初十
	清明	4月4日	闰二月十五		寒露	10月8日7时8分	八月二十五
	谷雨	4月20日2时11分	三月初二		霜降	10月23日	九月初十
夏	立夏	5月5日12时33分	三月十七	冬	立冬	11月7日	九月二十五
	小满	5月21日1时33分	四月初三		小雪	11月22日7时20分	十月十一
	芒种	6月5日	四月十八		大雪	12月7日2时43分	十月二十六
	夏至	6月21日9时39分	五月初四		冬至	12月21日20时33分	十一（冬）月初十
	小暑	7月7日3时18分	五月二十		小寒	2005年1月5日	十一（冬）月二十五
	大暑	7月22日20时30分	六月初六		大寒	2005年1月20日	十二（腊）月十一

注：以上节气以2004年为例，每年节气一般都在上述公历日期前后1天。

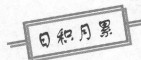

（从本课中找出5-8个你觉得有用的词语或句子）

文章一　塞翁失马①的故事

① 塞翁失马（Sài Wēng shī mǎ）：the old man's loss of horse ma be a fortune in disguise—a loss ma turn out to be a gain。塞，指⸻远地方。翁，老头儿。

　　这是一个古老而有名的成语故事，叫做"塞翁失马，安知非福"，也简称"塞翁失马"。故事是这样的：

　　在边远地方，住着一位智慧的老人。有一天，他的马无缘无故（for no reason at all）跑了，跑到了胡人②的住地。家产受到很大损失。邻居们都来安慰他，劝他别太伤心了。谁知那老人却说："你怎么知道这不是一种福气呢？对我来说，也许这是一件好事呢！"

② 胡人（húrén）：中国古代汉人对除了汉人以外部族的称呼。

　　过了几个月，那匹马带领着一大群胡人的好马回来了。邻居们觉得他发财了，都前来祝贺他。那老人又说："谁知道这是不是一种灾祸（disaster）呢？也许这并不是一件好事啊！"

　　老人的家中有很多好马了，别人都很羡慕他家。他的儿子爱好骑马，可是一次不小心，从马上掉下来，摔断了大腿，从此只能一条腿走路了。邻居们以为老人一定特别烦恼，都来慰问他。可那老人说："也许这又是一件好事呢！"

　　过了一年，胡人入侵（invade）边塞，健壮男子都拿起武器去作战。去打仗的人，大部分都死了。只有老人的儿子，因为只有一条腿，不能去打仗，保全了性命。

③ 祸兮福所倚，福兮祸所伏（huò xī fú suǒ yǐ, fú xī huò suǒ fú）：比喻坏事可以引出好的结果，好事也可以引出坏的结果。

　　老子说：祸兮福所倚，福兮祸所伏③，说的就是这个意思。

一、根据文章内容判断正误。

（正确的画"√"，错误的画"×"，文中没有提到的画"○"）

1. 老人住在一个边远的地方。　　　　　　　（　　　）
2. 老人家里的马被偷了。　　　　　　　　　（　　　）
3. 邻居们不理解老人的想法。　　　　　　　（　　　）
4. 老人家丢的马很聪明。　　　　　　　　　（　　　）
5. 老人是老子的儿子。　　　　　　　　　　（　　　）

二、根据文章内容选择正确答案。（从ABCD四个选项中选择一个最佳答案）

1. "家产受到很大损失"中的"家产"指的是：（　　　）

　　A. 儿子　　　　B. 房子　　　　C. 马　　　　D. 土地

2. "你怎么知道这不是一种福气呢"中"福气"的意思是：（　　　）

　　A. 幸福　　　　B. 快乐　　　　C. 好事　　　　D. 坏事

3. "邻居们觉得他发财了"，这句话的意思是：（　　　）

    A. 邻居们觉得他有马了

    B. 邻居们觉得马给老人带来了财富

    C. 邻居们认为马可以卖很多钱

    D. 邻居们认为他要买马

4. "健壮男子都拿起武器去作战"中"健壮"的意思是：（　　　）

    A. 健康正常　　　　　　　B. 有两条腿

    C. 不生病　　　　　　　　D. 家里没有马

三、说一说。

生活中你有没有"塞翁失马"这样的经历？

文章二　说说网上购物

【通读　约400字】

    随着网络技术的发展和互联网的普及（popularize），人们的消费习惯发生了很多的变化。很多人不再去商场买东西，而是把购物的地点转移到了网上。很多人每天在购物网站上浏览（browse），看到喜欢的，就点一下鼠标（mouse），送货上门（home delivery service）。这就是网上购物。

    网上购物改变了人们的消费习惯，年轻人开始不愿意出门逛街了，他们觉得这样既节省时间，又节省精力。在网络世界里，买东西的人被称做"买家"，卖东西的则是"卖家"。许多买家认为自己喜欢网购有着充分的理由。有买家说："方便、便宜，为什么不呢？"也有买家说："网上商品丰富，还省去了到处跑、四处找的麻烦。"

    的确，和传统购物方式相比，网络购物确实有很多优点：

第一、可以在家"逛商店"，不受时间和地点的限制。

第二、能得到大量的商品信息，可以买到当地没有的商品。

第三、网上支付比拿现金支付（pay in cash）更加安全方便。

第四、送货上门，不用自己跑到商场，既省时又省力。

第五、价格比一般商场的同类（of the same kind）商品更便宜。

一、根据文章内容选择正确答案。（从ＡＢＣＤ四个选项中选择一个最佳答案）

1. 网上购物使人们的消费习惯发生了很大变化，是指：（　　　）
   A. 没有人再去商场买东西
   B. 年轻人不再去商场买东西
   C. 老年人不再去商场买东西
   D. 很多人把购物地点移到了网上

2. 在网络世界里，买东西的人常被称做：（　　　）
   A. 卖家　　　　　B. 买家　　　　　C. 消费者　　　　　D. 网购者

3. 以下哪一项不是网上购物的好处？（　　　）
   A. 可以送货上门　　　　　　　　　B. 又快又安全
   C. 省时、省力又方便　　　　　　　D. 可以得到赠品礼物

二、根据文章内容判断正误。

（正确的画"√"，错误的画"×"，文中没有提到的画"○"）

1. 网上购物就是指每天在购物网站上浏览。（　　　）
2. 传统的商场顾客减少了很多。（　　　）
3. 网上购物改变了人们的消费习惯，年轻人开始不愿意出门逛街。（　　　）
4. 网上所有的商品都需要买家支付现金。（　　　）
5. 网上购物也有很多缺点。（　　　）

三、根据文章内容，列举网络购物的优点。

文章三　下　棋

【通读　约600字】

　　王石是个聪明的小伙子，他爱上了一个姑娘。像所有恋爱中的人一样，为了得到姑娘的芳心，拼命表现自己①。好在他的努力没有白费（in vain），姑娘终于决定带他去见父母。

　　临行前，她对王石说："我的父亲有个爱好，特别喜欢下国际象棋（chess），如果你能让他知道你下棋很好，我想他会喜欢你的。"

　　一切进行得都很顺利，父亲对王石印象不错，王石不那么紧张了，他说话开始随便起来，说自己聪明，即便是国际象棋大师也不如他。话音刚落，两位象棋大师突然从旁边的房间里走出来，"年轻人，那我们就玩儿一

①表现自己（biǎoxiàn zìjǐ）：
　project oneself。

下吧。"

王石简直不敢相信自己的眼睛，天下还有这么巧的事情？他哪里知道恰巧（qiàqiǎo）这天两位大师因为一些私事，专门来看望姑娘的父亲。

大家都等着，王石只好硬着头皮应战（accept a challenge）。他提了一个条件（requirement）：在两间不同的屋子里，分别和两个人比赛。

跟 A 大师开局的时候，王石说："您是大师级的人物，您先走吧。"

等到大师走了一步之后，王石马上跑到另一间屋子里，对 B 大师说："我是个不出名的小人物，我先走吧！"随即便走出了 A 大师刚刚走的那步棋。

B 大师思考一会儿，也走了一步棋。

王石回到 A 大师面前，照葫芦画瓢[2]，用 B 大师刚才的那步棋回应（respond）了 A 大师。A 大师愣了一下，立即觉得这小伙子很不一般。琢磨（zuómo）了半天，才小心地又走出了一步棋。

② 照葫芦画瓢（zhào húlu huà piáo）：成语。比喻照着样子模仿。

王石再次回到 B 大师面前，用 A 大师刚才的那步棋回应 B 大师……

最后的结果是和局（drawn game）。

（选自《微型小说选刊》）

一、根据文章内容选择正确答案。（从 A B C D 四个选项中选择一个最佳答案）

1. 这篇文章告诉我们：（ 　　 ）

　　A. 王石很会下棋

　　B. 两个大师下棋很厉害

　　C. 王石很聪明

　　D. 王石学下棋学得快

2. 王石要求"在两间不同的屋子里，分别和两个人比赛"是为了什么？（ 　　 ）

　　A. 照葫芦画瓢下棋

　　B. 向两位大师好好学习下棋

　　C. 表现自己聪明

　　D. 避免自己太紧张

二、说一说文中"芳心"一词的含义。

文章四　江·河·水

【略读　约470字　参考时间：7分钟】

　　古代中国，大的河流多用一个字的专名（proper noun）去指称，如"江"指长江，"河"指黄河，"淮"指淮河，"汉"指汉水，"湘"指湘江，真正称做长江、黄河、淮河、汉水、湘江，那是后代才有的事。那么，古代对河流的称呼没有类名吗？有，古代河流称"水"。

　　"水"有两个意义：一、饮用的水；二、河流。古代有一部专门讲河流的地理书，叫《水经》，有一位名叫郦道元（Lí Dàoyuán）的地理学家为它做注（解释字句的文字），补充了丰富的资料，书名就叫《水经注》。

　　唐代诗人李白，有一句有名的诗"黄河之水天上来"，诗中的水指水流。这句诗描写出黄河在天地间奔流的气势，如果将"水"理解为饮用的水，那就索然无味（flat and insipid）了。

　　唐代还有一位诗人叫元稹（Yuán Zhěn），他有一句诗，"曾经沧海难为水"，意思是见过大海的人，再看见一般小的河流时，就不把它放在眼里了。如果把这里的"水"理解为饮用的水，便令人不明白了。

　　古代，"江"专指长江。长江很长，专指长江的某一段时，就在"江"字的前面加上一个字。例如，"荆江"指长江从湖北到湖南的一段；"扬子江"指长江位于扬州的一段。

（选自《汉字文化漫笔》）

一、根据文章内容判断正误。（正确的画"√"，错误的画"×"）

1. 古代的河流都称"水"。　　　　　　　　　　　　　　　　　　（　　　）
2. "黄河之水天上来"，诗中的"水"指喝的水。　　　　　　　　　（　　　）
3. 中国古代的郦道元写了一部专门讲河流的地理书，叫《水经》。（　　　）
4. 古代"江"专指长江。　　　　　　　　　　　　　　　　　　　（　　　）
5. 古代"河"指所有的河流。　　　　　　　　　　　　　　　　　（　　　）

二、根据文章内容填表。

古代名称	指的是什么
江	
河	
淮	
汉	
湘	

实用阅读

食品包装袋

【 查读　约160字　参考时间：5分钟 】

净含量：100克

本品精选优质玉米　适用独特工艺制造　口感独特，是一种理想的保健方便食品

无蔗糖食品

不含任何添加剂

感受方便　"粥"割的美味

甘泉玉米方便粥

真情传天下
营养千万家
甘泉食品　健康你我

执行标准：GB 3461
卫生许可证：甘食字
2006(第7648号)
保质期：12个月
生产日期：2009年9月1日
地址：甘泉市吉祥镇
手机：15097265414

产品介绍：
本产品采用优质玉米为原料，经先进工艺加工而成。营养丰富，食用方便。
食用方法：
取本产品适量倒入沸水中，搅拌均匀即可食用。
净含量：100克

上面这段文字是一个食品包装的说明，请根据说明文字回答问题。

1. 这是什么食品？

----

2. 这种食品在什么时间前吃是安全的？

----

3. 怎么吃？

----

4. 这种食品的特点是什么？

日积月累

（从本课中找出5-8个你觉得有用的词语或句子）

文章一　女女不一样

　　现代社会以后，中国妇女的地位（position）经历了这样两个阶段：先是"时代不同了，男女都一样"，否定①了几千年来男主女从的观念和社会结构；改革开放以后，又提出"女人要有女人味"，否定了"男女都一样"。

　　我的观点是，不应当是"时代不同了，男女不一样"，而应当是"时代不同了，女女不一样"。我的意思是，女人已经不像过去那样永远不变了。有各种各样的女人，她们的味道，也可以被认为是"女人味"，因为女人味的内容，并不是简单的一种，它应当随着时间和空间的变化，不断被重新定义（definition）。

　　比如，有不愿意出来工作，在家里做贤妻良母②的女人；也有愿意自己在社会上努力工作，经济独立（independent）的女人；有愿意站在男人的后面，帮助做事情的女人；也有愿意领导男人的女人。不能说只有前者才是有"女人味"，后者就是"男人味"。

　　人性是多样的、丰富的，女性气质也是多样的、丰富的。因此，新时代的"女人味"里面，不仅应当包括温柔③、美丽、听话，还应当包括聪明、能干，甚至包括攻击性（aggressiveness）和领袖欲（desire to be a leader）。

（选自李银河博客）

① 否定（fǒudìng）：negate。

② 贤妻良母（xián qī liáng mǔ）：understanding wife and loving mother。好妻子好母亲。

③ 温柔（wēnróu）：gentle, tender。

一、根据文章内容选择填空，完成概要重述。

> A. 改革开放以后
> B. 男主女从
> C. 被认为是有"女人味"
> D. 经济独立的女人
> E. 永远不变了
> F. 在家里做贤妻良母的女人

　　现代社会以后，中国妇女的社会地位经历了两个过程：先是"时代不同了，男女都一样"，否定了几千年来___1___的观念和社会结构；___2___，又提出"女人要有女人味"，否定了"男女都一样"。

　　作者的观点是，"时代不同了，女女不一样"。意思是，女人已经不像过去那样___3___，有各种各样的女人，比如，有不愿意出来工作___4___；也有愿意自己在社会上努力工作___5___；有愿意帮助男人的女人；也有愿意领导男人的女人。她们也可以___6___，因为女人味的内容并不是简单的一种，人性是丰富的，女性气质也是多样的。

二、根据文章内容选择正确答案。（从ＡＢＣＤ四个选项中选择一个最佳答案）

1. 中国妇女几千年来传统的地位是：（　　　　）
   A. 男女平等　　　　　　　　　　B. 男主女从
   C. 女主男从　　　　　　　　　　D. 女士优先

2. "时代不同了，男女都一样"强调的是：（　　　　）
   A. 男人的地位　　　　　　　　　B. 女人的地位
   C. 男女地位没有差别　　　　　　D. 时代的变化

3. "女人要有女人味"，强调的是：（　　　　）
   A. 男女应该都一样　　　　　　　B. 男女应该不一样
   C. 女人要比男人强　　　　　　　D. 男人也有女人味

4. 作者认为"时代不同了，女女不一样"，是想强调：（　　　　）
   A. 女人的共性　　　　　　　　　B. 女人的个性
   C. 男人不重要　　　　　　　　　D. 男人没个性

5. "经济独立"的意思是什么？（　　　　）
   A. 自己有工作，有收入　　　　　B. 不花别人的钱
   C. 自己一个人生活　　　　　　　D. 自己决定事情

三、下面是几类不同的女人，查阅词典或网络说说其中的含义。

美女：————————————————————————————————————

淑女：————————————————————————————————————

才女：————————————————————————————————————

猛女：————————————————————————————————————

超女：————————————————————————————————————

文章二　互联网40岁了

【通读　约480字】

互联网产生于1969年，具体时间却有两种不同意见："9月2日"和"10月29日"。我们认为，只有两台主机之间实现了通讯①，才算是互联网的真正"生日"。当时准确的时间是1969年10月29日22点30分。

互联网40年的时间，相对人类社会来说，只是转眼之间，但却完全改变了人们的生活和工作方式，我们就生活在互联网的"地球村"里。

互联网在进步？那是肯定的，并且这种进步推动着人类社会的发展。交流的方便与及时、应用的准确与有效，只要打开网络，你就可以联接整个世界。然而，消极②影响也必然会出现，对于互联网的批评很多很多。

① 通讯（tōngxùn）：communication。

② 消极（xiāojí）：negative。

仔细想想，网络是什么？只是一个媒介（medium），一个工具。使用媒介的是人，各种各样的人。在使用的过程中，问题出现了，能把问题说成是互联网造成的吗？答案是否定的。批评的声音，对于网络应该是一个礼物，在我们努力想着该怎么救治（cure）网络的时候，网络正在偷笑呢，"40年，对'我'来讲，只是一个开始。"

过去的互联网，发展速度远远超过我们的想象；今天的互联网，正在改变我们的工作与生活；未来的互联网，也许更难猜想，我们唯一能够做的就是等待，但这种想象互联网未来的感觉，真的很棒（excellent）。

（选自网易科技）

一、根据文章内容选择填空，完成概要重述。

> A. 只要打开网络
> B. 答案是否定的
> C. 互联网在进步
> D. 网络不是毒品，只是一个媒介
> E. 消极影响也逐渐呈现出来

互联网40年的时间相对人类社会而言很短，但却前所未有地改变了人们的生活和工作方式，我们就生活在互联网搭建的"地球村"里。

___1___？那是肯定的，并且这种进步十足推动着人类社会的发展。___2___，你就可以联接整个世界。然而，___3___。于是人们开始怀疑、争议、批评……但仔细想想看，___4___，使用媒介的正是社会的人，在使用的过程中，出现了问题，能把问题归罪于互联网吗？___5___。

二、根据文章内容判断正误。（正确的画"√"，错误的画"×"）

1. 互联网具体生日日期有两种意见。　　　　（　　　）
2. 我们就生活在互联网里。　　　　（　　　）
3. 互联网肯定是在进步的。　　　　（　　　）
4. 网络不是毒品，只是一个媒介。　　　　（　　　）
5. 使用网络的过程中出现问题，应该归罪于互联网。　　　　（　　　）
6. 网络上经常有人偷笑。　　　　（　　　）
7. 未来的互联网更加难以想象。　　　　（　　　）

三、想一想。

未来的互联网可以做什么？

1. _____
2. _____
3. _____
4. _____

文章三　少吃可以多活

【通读　约560字】

面对自由基的侵犯（invade），难道我们只能等死吗？除了细胞本身有防卫（defend）功能外，水果蔬菜中，也含有防卫物质，如维生素 C 和维生素 E，它们都能杀死自由基，这样就可以使老化（ageing）过程变慢。这也是建议大家要多吃水果蔬菜的原因。

但是光吃水果和蔬菜，是不会很大程度延长寿命的，要减少体内自由基的产生，还有一个办法——就是少吃点儿，再少吃点儿。听上去有点儿不可理解，让我们看看，发生在两只老鼠身上的故事。

对老鼠来说，一生的时间很快过去，几个月之内，就从婴儿到了少年、青年、中年，然后是老年，两岁多就要死去。但这是可以改变的。

在一次实验中，研究人员挑选了两只老鼠，让其中一只老鼠放开肚子随便吃，过一种典型（typical）的终日吃喝玩乐式的日子，结果，两岁刚过，它就死了。另一只老鼠，则让它过一种斯巴达式[①]的生活，只给它吃半饱，结果，它欢快活泼地活到三岁，才在真正的老年期死去。如果按照人来算，那就是 120 岁以后了。

显然，大量的食物需要更多的氧气去消化（digest），自然就会产生更多的自由基，这就是为什么少食长寿的秘密。

然而少食，只能减少自由基的产生，最多不过是老得晚一点儿，而且少吃减肥是件太苦的事情。不管怎么说，大部分人都喜欢选择尽情地吃，而不愿意少吃一口。那么，如何过自由随便、想吃就吃的生活，同时还能长寿呢？我们还要继续寻找答案。

（选自 SOSO 问问网站）

① 斯巴达式（Sībādá shì）：Spartan。贫穷的，缺乏的。

一、根据文章内容选择正确答案。（从 A B C D 四个选项中选择一个最佳答案）

1. 什么东西不能杀死自由基？（　　　）

　A. 细胞本身　　　　　　　　　B. 水果蔬菜

　C. 维生素C和维生素E　　　　　D. 老鼠

2. 根据文章，下面哪句话说法正确？（　　　）

　A. 吃水果和蔬菜，可以大大延长寿命

　B. 光吃水果和蔬菜，就可以延长寿命

　C. 光吃水果和蔬菜不会大大延长寿命

　D. 多吃水果和蔬菜延长寿命的作用很有限

3. 正常老鼠的寿命是多长时间？（　　　）

    A. 几个月　　　　　　　　　B. 两岁多

    C. 三岁以上　　　　　　　　D. 文中没有提

4. 实验中，两只老鼠的寿命：（　　　）

    A. 随便吃的老鼠活得长

    B. 只给吃半饱的老鼠活得长

    C. 两只老鼠同时死去

    D. 没有结果

5. 少吃减肥是件太苦的事情，意思是什么？（　　　）

    A. 大部分人都愿意少吃一口

    B. 大部分人都喜欢尽情地吃

    C. 大部分人都不愿意通过少吃减肥

    D. 大部分人都愿意减肥

二、根据文章内容判断正误。（正确的画"√"，错误的画"×"）

1. 面对自由基的侵犯，我们只能等死。　　　　　　　　　　（　　　）

2. 提倡大家多吃水果蔬菜是因为多吃水果蔬菜可以变得年轻。（　　　）

3. 随便吃的老鼠不到两岁就死了。　　　　　　　　　　　　（　　　）

4. 斯巴达式生活的老鼠活了120岁。　　　　　　　　　　　（　　　）

5. 想吃就吃的生活影响人的寿命。　　　　　　　　　　　　（　　　）

三、为下列句中画线部分选择合适的解释。（从ＡＢＣＤ四个选项中选择一个最佳答案）

1. 它们都能杀死自由基，这样就可以使老化过程变慢。（　　　）

    A. 变老的过程　　　　　　　　B. 死的过程

    C. 化学的过程　　　　　　　　D. 消化的过程

2. 另一只老鼠则让它过一种斯巴达式的生活，只给它吃半饱。（　　　）

    A. 特别饱　　　　　　　　　　B. 五分饱

    C. 吃不饱　　　　　　　　　　D. 吃一点儿

3. 大量的食物需要更多的氧气去消化。（　　　）

    A. 被身体消灭　　　　　　　　B. 被身体吸收

    C. 消失　　　　　　　　　　　D. 吃掉

4. 而且少吃减肥是件太苦的事情。（　　　）

    A. 伤心的事情　　　　　　　　B. 难过的事情

    C. 不容易做到的事情　　　　　D. 味道很苦的事情

文章四　幸福是什么

【略读　约700字　参考时间：7分钟】

1. 你认为幸福是什么？
   - ☐ 实现所有的愿望
   - ☐ 与所爱的人过一生
   - ☐ 有权力，受到公众尊敬
   - ☐ 周游世界
   - ☐ 富有
   - ☐ 身体健康
   - ☐ 家庭和睦
   - ☐ 其他 _____

2. 你认为以下哪些人最幸福？
   - ☐ 身边的普通人
   - ☐ 明星或社会名人
   - ☐ 爸爸妈妈那一辈人
   - ☐ 下一代
   - ☐ 其他 _____

3. 你认为幸福和年龄有关系吗？
   - ☐ 有关系，人在每个年龄阶段的感受应该都会不同
   - ☐ 没有关系，好心态不管在多大年龄时都能感觉到幸福

4. 你认为幸福和财富有关系吗？
   - ☐ 有很大关系，有钱人更自由，他们总是比没有钱的人幸福一些
   - ☐ 有一定的关系，但富有的人有时也会失去一些平凡人的乐趣
   - ☐ 没有关系，因为幸福首先是一种感觉，国王和乞丐各有各的幸福

5. 月工资多少能让你觉得比较有幸福感？
   - ☐ 1000—3000元
   - ☐ 3000—5000元
   - ☐ 5000—8000元
   - ☐ 8000—15000元
   - ☐ 15000—20000元
   - ☐ 20000—30000元
   - ☐ 其他 _____

6. 现在的生活中有什么影响你得到幸福？
   - ☐ 自己的性格缺点，很难让自己成为理想的人
   - ☐ 收入少，无法让自己得到进一步的发展

□ 没有人关爱，没有人鼓励，所以干什么都没意思
□ 其他 _____

7. 当你看到一个对生活感到心满意足的人时，你会有什么反应？
　　□ 该死，为什么我的生活不是他/她那样
　　□ 真高兴，他/她也把幸福的感觉带到了我身上
　　□ 努力，我以后一定要比他/她还幸福
　　□ 没什么，我很满意自己现在的生活

8. 如果你现在对自己的生活还不够满意，你相信自己的未来会幸福吗？
　　□ 一定会的，只要相信幸福就有可能实现
　　□ 不知道，还要看机会，但我会努力
　　□ 无所谓，幸福其实并不存在，那只是小孩子的说法，我只要平静就好
　　□ 不会，我已经看不到希望
　　□ 其他 _____

9. 怎样做可能让你们的爱情幸福感增强？
　　□ 没什么可做的，现在已经很好，我很满意
　　□ 教育他/她赚更多钱养家
　　□ 多抽出一些时间聊天
　　□ 立刻分手，换一个情人大概会得到幸福
　　□ 其他 _____

10. 你觉得你的幸福人生由什么构成？
　　□ 财富与物质
　　□ 理想的爱人
　　□ 浪漫的爱情
　　□ 幸福的家庭
　　□ 杰出的子女
　　□ 成功的事业
　　□ 好朋友
　　□ 健康与长寿
　　□ 自由的生活

　　性别:□ 男 □ 女　　　　年龄: _____

投票

一、这是一篇什么文章? (　　　)

　　A. 考试题　　　　　B. 调查问卷　　　　C. 说明文　　　　D. 议论文

二、根据文章里面的问题，找出与"幸福"有关的词语，写在下面。

三、说一说你自己的幸福观。

文章五　城市的眼睛

【略读　约440字　参考时间：6分钟】

　　昆明和翠湖分不开。

　　很多城市都有湖。杭州西湖、济南大明湖、扬州瘦西湖。然而这些湖和城的关系都还不是那样密切。似乎（seem）把这些湖挪开①，城市也还是城市。翠湖可不能挪开。没有翠湖，昆明就不是昆明了。

① 挪开（nuókāi）：move away。

　　翠湖在城里，而且几乎就挨着（next to）市中心。城中有湖，这在中国，在世界上，都是不多的。说某某湖是某某城的眼睛，这是一个俗（vulgar）得不能再俗的比喻了。然而说到翠湖，这个比喻还是躲不开。只能说：翠湖是昆明的眼睛。有什么办法呢，因为它非常贴切（apropos）。

② 妨碍（fáng'ài）：obstruct。使事情不能顺利进行。

③ 捷径（jiéjìng）：shortcut。近便的小路。

　　翠湖是一片湖，同时也是一条路。城中有湖，并不妨碍②交通。湖之中，有一条很整齐的贯通南北（run south and north）的大路。从文林街、先生坡、府甬（yǒng）道，到华山南路、正义路，这是一条直达的捷径③。——否则就要走翠湖东路或翠湖西路，那就绕远多了。昆明人特意来游翠湖的也有，不多。多数人只是从这里穿过。翠湖中游人少而行人多。但是行人到了翠湖，也就成了游人了。

　　翠湖每天每日，给了昆明人多少精神安慰啊！因此，昆明人——包括外来的游客，对翠湖充满感激。

（选自汪曾祺文章）

根据文章内容选择正确答案。（从ＡＢＣＤ四个选项中选择一个最佳答案）

　　1. 作者认为翠湖是昆明的：（　　　　）

　　A. 中心　　　　B. 眼睛　　　　C. 比喻　　　　D. 景色

2. "行人到了翠湖，也就成了游人了。"说明翠湖怎么样？（   ）

    A. 很大   B. 很小   C. 很美   D. 很方便

3. "昆明人——包括外来的游客，对翠湖充满感激"，这句话的意思是什么？（   ）

    A. 翠湖是个好地方   B. 翠湖对于昆明很重要

    C. 昆明对于翠湖很重要   D. 人们热爱昆明的翠湖

（一）北京新高考《考试说明》

【查读　约520字　参考时间：7分钟】

　　北京市对高中课程进行改革以后，高考的考试要求改变。为此，北京市公布了新高考《考试说明》。新高考在考试思想和目标、考试范围和内容以及试卷结构和题型等几方面都有变化。

　　语文　高考语文科目，原有的23个题目将减少为20个题目。新增加两道阅读延伸题。阅读延伸（extend）题是新题型，第一次出现，出题范围有：古诗文阅读，现代文阅读。在这两部分，各出一题，每题约10分，要求考生用200字回答。

　　数学　高考数学将增加算法初步（文理科）、统计（文理科）、框图（文科）等适应信息社会需要并符合新课标要求的内容。

　　英语　英语听力理解将由原来的两节改变为三节，其中，第三节为高考英语北京卷中第一次出现。要求考生根据听到的话写出信息，共5小题，每题1.5分。阅读理解部分由原来的一节改变为两节。第二节为高考英语卷中第一次出现的题目，在一段短文（不少于300字）中留出5个空白，要求考生从所给的7个选项里选出最佳答案，共5小题，每题2分。

　　化学　化学减少8分，降为100分。减少1道6分客观（objective）题，主观（subjective）题减少2分。

　　生物　生物增加8分，升为80分。增加1道6分的客观题，主观题增加2分。

　　另外，对于部分老生和一些在外地读书的北京考生来说，北京市将按照"老人老办法、新人新办法"的原则进行录取。

（选自人民网）

一、根据文章内容填表。

	语文	数学	化学	生物
增减题目				
增减分值				

二、英语考试的内容增加了什么？

听力理解部分：＿＿＿＿＿＿＿＿＿＿＿＿＿＿＿＿＿＿＿＿＿＿＿＿＿＿＿

阅读理解部分：＿＿＿＿＿＿＿＿＿＿＿＿＿＿＿＿＿＿＿＿＿＿＿＿＿＿＿

（二）永远的热带天堂——三亚

【查读 约390字 参考时间：6分钟】

中国海南岛的三亚，被称为"东方夏威夷"（Oriental Hawaii），它有海南岛最美丽的海滨风光。这里，海蓝沙白，浪平风轻，"山—海—河—城"，巧妙组成了三亚市独特的环境特色。2008年，三亚成为北京奥运会国内火炬①传递的第一站。

① 火炬（huǒjù）：torch。

三亚是人间天堂，有太多的"中国之最"：

● 中国最南端的滨海城市。

● 中国日照时间最长的城市，全年有近300天艳阳高照。

● 中国年均温度最适宜的城市，年平均气温25.4℃。

● 中国空气质量最好的城市，负氧离子（negative oxygen ion）含量位居中国第一、世界第二。

● 中国最长寿的地区（人均寿命80岁）。百岁以上老人，海南省有400多人，三亚市70多人。

● 中国人居环境最好的城市，有海水、沙滩、阳光、气候、动物、植物、岩洞（grotto）、温泉、森林等度假要素（element）。

● 有中国最大最美的平民海湾——三亚湾，有17公里沙滩、浴场、椰子（coconut）树林、绿草、鲜花。

● 被联合国评为"世界最适合人类居住的城市"。

三亚有这么多的"之最"，真的是人间天堂（paradise）！

回答问题。

1. 三亚为什么被称为"东方夏威夷"？

＿＿＿＿＿＿＿＿＿＿＿＿＿＿＿＿＿＿＿＿＿＿＿＿＿＿＿＿＿＿＿＿＿＿

2. 从文中找出三亚的"中国之最"。

日积月累

（从本课中找出5-8个你觉得有用的词语或句子）

9

文章一　一生的职业

【 细读　约570字 】

结婚前，她是一名成功的律师（lawyer）。结婚后，丈夫很支持她的事业。第二年，她生了一个儿子。

后来，她又工作，又一次出了名。有人说，她将来会成为国内律师中最杰出①的一位女性，所有的人都坚信这一点。

没想到的事情发生了。儿子三岁那年，得了一种怪病。作为母亲的她特别伤心，不得不放下工作回家照顾儿子。一年过去了，所有的医生都摇头，他们说："没有药物可以治疗，只能靠细心照顾，用爱和关怀来创造奇迹②。"

许多人劝（try to persuade）她重新去当律师，挣的钱一定能够养活儿子。她坚决地摇头："儿子需要的不是钱，是母亲的时间和母亲的关心，我把他带到人间，我就应该为他的一生负责。"

她完全成了家庭妇女，细心地照顾儿子，什么事情都要自己亲自动手。就这样，她成了一个真正的母亲，一个标准（standard）的妻子。丈夫想代替她，她不愿意；同行劝她找一个保姆③，她也不愿意。

许多年过去了，人们忘记了她。可是她的儿子病好了，长成了一个男子汉，以优秀的成绩考入了一所著名的医科大学。儿子要成为一名医生，用自己的成功来补偿④母亲。

以前的同事来看她，他们都成名了。她平静地坐在他们中间。有人说，她本来也可以成为有名的律师。

她笑了，说："对于一个母亲来讲，任何工作都只是暂时⑤的，只有一样工作是一生的职业，那就是爱孩子。我明白，我首先是一个母亲，然后才是一名律师或者别的什么。"

（选自人生无悔的博客）

① 杰出（jiéchū）: outstanding。出众的。

② 奇迹（qíjì）: miracle。

③ 保姆（bǎomǔ）: baby sitter。

④ 补偿（bǔcháng）: compensate。

⑤ 暂时（zànshí）: temporary。短时间内。

一、根据文章内容判断正误。（正确的画"√"，错误的画"×"）

1. 结婚前这位母亲是一名成功的律师。　　　　　　（　　　）

2. 生了孩子以后丈夫不太支持她的事业。　　　　　（　　　）

3. 她的婚姻影响了她事业上的发展。　　　　　　　（　　　）

4. 她做律师很出名。　　　　　　　　　　　　　　（　　　）

5. 儿子得怪病后她放弃了工作。　　　　　　　　　（　　　）

6. 因为医生也没办法，她就自己给儿子治病。　　　（　　　）

7. 她成了一名真正的母亲，丈夫代替她成为律师。　（　　　）

8. 儿子长成了一个男子汉，并成了一个名医。　　　（　　　）

9. 对一个母亲来说，爱孩子是一生的职业。　　　　（　　　）

二、根据文章内容选择正确答案。（从ＡＢＣＤ四个选项中选择一个最佳答案）

1. 文章的主要内容是：（　　　）
   A. 亲情　　　　　　　　　　B. 母爱
   C. 职业的选择　　　　　　　D. 孩子的教育

2. 在"她"看来:（　　　）
   A. 事业无法用母爱换取　　　B. 事业比母爱重要
   C. 母爱可以用事业换取　　　D. 母爱比事业重要

3. 所有的人都相信她会成为国内律师中最杰出的一位女性，这是因为什么？（　　　）
   A. 她有一个好儿子　　　　　B. 她有一个好丈夫
   C. 她很能干　　　　　　　　D. 她以前很出名

4. 她一切都要自己亲自动手。这说明了什么？（　　　）
   A. 她照顾儿子很细心　　　　B. 她喜欢做家庭妇女
   C. 她不想当律师了　　　　　D. 她没有别的选择

5. 对于这位母亲来说：（　　　）
   A. 爱儿子和工作一样重要
   B. 爱儿子比工作更重要
   C. 工作比爱儿子重要
   D. 爱儿子和工作都不重要

6. 在这位母亲看来，如果儿子的病没有好，她自己的选择：（　　　）
   A. 失去意义　　　　　　　　B. 不对
   C. 没有意义　　　　　　　　D. 没有错

三、根据文章内容完成句子。（从ＡＢＣＤＥＦ中为每个句子选择一个最佳答案）

> A. 我首先是一个母亲，然后才是一名律师
> B. 但是她坐在他们中间，非常平静
> C. 许多年过去了，人们忘记了她
> D. 她完全成了家庭妇女
> E. 作为母亲的她不得不回家照顾儿子
> F. 她会成为国内律师中最杰出的女性

1. 她很能干，有人说＿＿＿＿＿＿。
2. 儿子病了，＿＿＿＿＿＿。
3. 她的朋友们都成功了，去看她，以为她会伤心，＿＿＿＿＿＿。
4. 出名并不重要，对我来说＿＿＿＿＿＿。

文章二　说地道汉语 写典雅①文章

① 典雅（diǎnyǎ）：elegant, refined。形容文章高雅而不俗。

【通读　约 640 字】

② 开学典礼（kāixué diǎnlǐ）：ceremony held to signal the beginning of a school semester。

③ 赵元任（Zhào Yuánrèn）：1892—1982，中国语言学家、作曲家。

"利用暑假，去中国学汉语！"这是 97 个美国大学生的心愿（wish）。6 月中旬，他们在北京语言大学参加了北京书院的开学典礼②，开始了 9 周的紧张学习。

"汉语是练出来的，不是教出来的"，这是赵元任③先生开创（initiate）的教学方法。暑期班教材用"地道的口语"说话，上课用"直接的方法"练习。在教学中，注重"听说为先"，通过大量的句型操练（practice），让学生能听会说，把"识字"这一难点放到了课下，让学生自己去练。

朗读课是北京书院暑期班的亮点课程。朗读的内容，是大班课学过的知识点，朗读课老师的主要任务，是引导（guide）学生准确（accurately）地发音。朗读课只有短短的 15 分钟，整个过程，无论是老师还是学生，都不见一点儿马虎（careless）。学生们错误的发音或容易出错的字，用拼音的方式写在一块小黑板上，老师有针对性④地进行纠正和提醒（remind）。由于句子都很有趣，学生们几乎是在笑声中完成了这些练习。

④ 针对性（zhēnduìxìng）：pertinence。

⑤ 社会调查（shèhuì diàochá）：social survey。

社会调查⑤是北京书院的又一特色（unique feature）。学生要到中国社会中，去进行采访（interview）调查。每人都要设计 10 个问题，采访访问对象，然后写一篇调查报告。每年北京书院都会出版《美国大学生看中国报告》一书。这些作者中，有些人学习中文的时间不过两三年，却已经能够初步掌握（grasp, master）现代汉语书面语。从书中的题目，也可以看到美国学生看中国的独特角度（angle）。

⑥ 着迷（zháomí）：be fascinated。

如今，已经有近 300 名学生从北京书院暑期班毕业。他们中很多人都对中文越来越着迷⑥，学习兴趣得到进一步的激发（stimulate）；有的喜欢上了中国文化，在美国完成学业后又来到中国工作。

（选自《人民日报海外版》，作者孙海燕）

一、根据文章内容填空。

1. 利用暑假，来中国学汉语的是 _____ 国大学生。
2. 北京书院暑期班在教学中注重 _____，让学生能听会说。
3. _____ 课是北京书院暑期班的亮点课程。
4. 学生要到中国社会中去进行 _____。

二、根据文章内容选择正确答案。（从ＡＢＣＤ四个选项中选择一个最佳答案）

1. "他们在北京语言大学参加了北京书院的开学典礼，开始了9周的紧张学习。"这里"紧张"的意思是什么？（　　　）

   A. 害怕　　　　　　　　　　　　B. 担心

   C. 时间太少　　　　　　　　　　D. 学习内容很难

2. "汉语是练出来的，不是教出来的"，这种方法是什么？（　　　）

   A. 有老师才可以学　　　　　　　B. 学生不用老师教

   C. 老师好很重要　　　　　　　　D. 学生多练习才能学会

3. "学生们几乎是在笑声中完成了这些练习"，这句话的意思是什么？（　　　）

   A. 学生上课只是笑　　　　　　　B. 朗读课轻松有趣

   C. 老师喜欢开玩笑　　　　　　　D. 学生觉得朗读课很好笑

4. "从书中的题目，也可以看到美国学生看中国的独特角度。"这句话的意思是什么？（　　　）

   A. 书中的题目选得好　　　　　　B. 书中的题目反映学生的独特观点

   C. 书中的题目很有趣　　　　　　D. 美国学生会选择特别的题目

三、根据文章内容，用适当的词语填空。

1. 考试让学生感到有点儿 _____。

2. 他的作业写得很 _____。

3. 很多外国人都对中国文化 _____。

4. _____ 学习兴趣对掌握汉语来说很重要。

文章三　钱　包

【通读　约650字】

　　从饭店出来已是十一点多钟，街道上人、车都少了，显得很冷清（deserted）。

　　他感到很累。一天忙下来筋疲力尽[1]，他的双手都有点儿红肿（hóng zhǒng）了。他想再干两个月，如果能攒下八千元钱，就可以维持一个学期的生活……

　　忽然，后面一个人撞了他一下。见鬼！这么宽的路还往人身上撞，眼睛长哪儿去啦？"对不起！"那个人急急忙忙向前走去。他不由一惊，马上摸摸装在裤兜（dōu）里的钱包。啊！没啦！好家伙！竟然（unexpectedly）偷到他这个穷学生身上了。"站住！"他大喊了一声。那个人不理，加快脚步向前走去。他追上去大喊："钱包！钱包！"那人猛地跑开了，他连忙追

　　① 筋疲力尽（jīn pí lì jìn）：be completely exhausted。

过去。

　　他钱包里的钱不多，大约只有几十元钱和几枚硬币（coin）。可这是自己辛苦打工挣来的钱啊。打量前面这个家伙，他想，他可能是个专门在晚上偷东西的小偷。他越想越来气，这个坏蛋，他非抓住他不可！

　　"赶快站住，把钱包拿出来！"他大喊。他越喊，那个人就跑得越快。就在他要追上他的时候，那个人一看实在逃不过去，便扔了钱包跑了。

　　在昏暗（somber）的路边上，他捡起钱包，装进衣兜。为了防止意外，他不能再追了，得赶紧离开这个不安全的地方。于是，他一路小跑，回到了住处。

　　跑进屋子，他的心怦怦直跳。坐下来后，他这才打开钱包。咦？这哪里是我的钱包，这家伙到底调包（stealthily replace）了……可他翻开那被汗水浸（jìn）得湿乎乎的钱包，愣住了：那里有两千多块钱、几枚硬币和一张工资单（payroll）。原来他也是在一个店里打工的学生，刚刚拿到这月的工资。

　　这时他看看裤子，一下子想到早起后换了裤子，自己的钱包还在原来的裤兜里呢！

（选自冰凌同名小说）

一、根据文章内容选择正确答案。（从ＡＢＣＤ四个选项中选择一个最佳答案）

1. 文章主要讲的是什么？（　　　　）

　　A. 一个学生抢钱包

　　B. 一个学生丢了钱包

　　C. 一个学生关于钱包的误会

　　D. 一个学生生活中的错误

2. 根据文章内容，他的钱包：（　　　　）

　　A. 被偷了　　　　　　　　B. 被抢了

　　C. 没丢　　　　　　　　　D. 被别人捡到

二、根据文章内容，你觉得他后来会怎么处理这个钱包？

文章四　有趣的头发

【略读　约380字　参考时间：7分钟】

　　一根头发可以承受（bear）100克（gram）重量而不断。这就是说你头上12万根头发在理论上（theoretically）可同时承受12吨的重量。

　　然而，请不要在家里尝试（try）做这样的实验，因为长在你头上的头发会受到严重损坏（damage）——你头皮（scalp）表面下的发根会特别快地脱落（fall off），所以，这项试验只能在剪下的头发上做。

　　头发可以吸收（absorb）它自己重量45%的水分，它会变大，并且直径（diameter）增大15%。每天，我们平均（average）要掉50-100根头发。这就是说，一年平均有3万根头发要离开我们的身体，在别处开始它们新的历程（course, journey）——在我们的毛衣上或我们的汤里。

　　如果你一直不断地拉湿发，它能被拉长50%，那就是你在雨天不能保持你的发型①的原因！亚洲人的头发需要大约100克的拉力才可折断，一直不断地拉，可以拉长55%。欧洲人的头发只需80克的拉力就可折断，一直不断地拉，可拉长50%。非洲人的头发只要60克的拉力便可折断，因为它只能拉长40%。

① 发型（fàxíng）：hair style。

（选自华声论坛网）

根据文章内容填空。

1. 一根头发可以承受 ＿＿＿＿＿＿＿＿＿ 克的重量。
2. 你头上有 ＿＿＿＿＿＿＿＿＿ 万根头发。
3. 头发可以吸收它自身重量 ＿＿＿＿＿＿＿＿＿ 的水分。
4. 一年平均有 ＿＿＿＿＿＿＿＿＿ 万根头发要离开我们的身体。
5. 亚洲人的头发可以拉长 ＿＿＿＿＿＿＿＿＿。
6. 欧洲人的头发可拉长 ＿＿＿＿＿＿＿＿＿。
7. 非洲人的头发可拉长 ＿＿＿＿＿＿＿＿＿。

实用阅读

北京植物园介绍

【查读　约370字　参考时间：6分钟】

　　北京植物园是国家级AAAA旅游景区，位于京西香山脚下，距离市中心23公里。

植物园里有植物 62 万余株，草地 100 万余平方米。可划分为专门园、树木园、温室（greenhouse）花区和盆景园。

中心路两侧，已建成月季园、碧桃园、丁香园、牡丹园（mǔdān yuán）、芍药园（sháoyào yuán）、海棠园（hǎitáng yuán）、竹园、梅园等 11 个植物专门园。树木园包括银杏（yínxìng）松柏区、杨柳区、木兰区等 6 个展区。

另外，还有热带植物展览温室，室内分为热带雨林室、沙漠植物室和四季花园等 4 个展区，展示热带、亚热带植物 4100 多种。还有 2000 平方米的低温温室和 1350 平方米的盆景展室，共 20,350 平方米，是亚洲面积最大的植物展览温室群。

古迹包括：卧佛寺（Wòfó Sì）、曹雪芹纪念馆①、樱桃沟、"一二·九"运动纪念亭（pavilion）、梁启超②墓（cemetery）等。

① 曹雪芹纪念馆（Cáo Xuěqín jìniànguǎn）：是曹雪芹当年写作《红楼梦》（A Dream of Red Mansions）的地方。
② 梁启超（Liáng Qǐchāo）：清末维新运动的代表人物。

一、根据文章内容填空。

1. 北京植物园位于＿＿＿＿＿＿＿＿＿＿。

2. 曹雪芹纪念馆是一处＿＿＿＿＿＿。

3. 梁启超先生是＿＿＿＿＿＿＿＿＿＿。

4. 植物园内有亚洲面积最大的＿＿＿＿＿＿＿＿＿＿。

二、从植物园门票查找信息。

1. 植物园普通成人票价格是＿＿＿＿＿＿。

2. 夏季售票时间是＿＿＿＿＿＿。

3. 冬季静园时间是＿＿＿＿＿＿。

北京植物园
BEIJING BOTANICAL GARDEN

副 券
（成人票）

票价
伍元
¥5.00

每券一人，当日有效

请从票券处撕票
谨防假、假票

游园注意事项

查询说明

持票人可通过下
述三种方式鉴别发票
真伪 1.登录北京地税
网站(tax861 gov cn)进
行查询 2.拨打语音电
话 (010) 16881688进
行查询 3.拨打北京地
税服务热线 (010)
12366进行查询。

1、售票时间：夏季：6:00—19:00　冬季：7:00—17:00
　静园时间：夏季：21:00　　　冬季：19:00
2、请您自觉遵守《北京市公园条例》和《游园守则》；
3、本园为一级防火区，严禁在园内吸烟；
4、爱护文物古迹、花草树木及各种设施；
5、维护园容卫生，不要随地吐痰、乱扔废弃物；
6、请勿携带宠物入园，禁止放风筝、搭帐篷、践踏草坪；
7、园内湖区水深危险，请勿滑冰、游泳、垂钓、戏水、攀爬湖坝；
8、请您不要在静园时间后，逗留或留宿园中；
9、游览过程中请您注意自身安全，保管好自身携带物品。

游客中心咨询电话：82598771、62591561转3644　　驻园派出所电话：62591341
园内医务室电话：62591561转2165　　　　　　　　网址：http://www.beijingbg.com

一级防火区　园内严禁吸烟

日积月累

（从本课中找出5-8个你觉得有用的词语或句子）

10

文章一　我们家的大花猫

[1] 我们家的大花猫，性格实在古怪（eccentric）。

[2] 说它老实吧，它有时的确很乖①。它会找个暖和的地方，整天睡大觉，没有烦恼，什么事也不过问。可是，决定要出去玩玩，就会出走一天一夜，不管谁怎么叫它，它也不肯回来。

① 乖（guāi）：obedient。

[3] 说它贪②玩吧，的确是啊，要不怎么会一天一夜不回家呢？可是它听到老鼠的一点儿响动，就一动不动地看着老鼠洞，一连就是几个钟头，非把老鼠等出来不可！

② 贪（tān）：have an insatiable desire for。

[4] 它要是高兴，能比谁都温柔可亲：用身子蹭③你的腿，把脖子伸出来让你给它抓痒（scratch an itch），或是在你写作的时候，跳上桌来在纸上踩印几朵小梅花。它还会丰富多样地叫，长短不同，变化多端④。在不叫的时候，它还会咕噜咕噜（gūlū）发出声音。这可都凭它的高兴。它要是不高兴啊，无论谁说多少好话，它一声也不出。

③ 蹭（cèng）：rub。

④ 变化多端（biànhuà duōduān）：changeful。

[5] 它什么都怕，总想藏起来。可是它又勇猛⑤，不要说对付小虫和老鼠，就是遇上蛇也敢斗一斗（fight）。

⑤ 勇猛（yǒngměng）：bold and powerful。

⑥ 满月（mǎnyuè）：one full month after birth。

[6] 它小时候可逗人爱哩！才来我们家时，刚好满月⑥，腿脚还不会站，已经学会了淘气。一根鸡毛、一个线团，都是它的好玩具，玩个没完没了。一玩起来，不知要摔多少跟头，但是倒了马上起来，再跑再倒，头撞在门上、桌腿上，撞疼了也不哭。后来，胆子越来越大，就到院子去玩了，从这个花盆跳到那个花盆，还抱着花枝打秋千（swing）。院中的花草都被它搞坏了。

[7] 我从来不打它。看它那样天真（innocent）可爱，我喜欢还来不及，怎么会跟它生气呢？

（选自《老舍文集》，作者老舍）

一、根据文章内容选择正确答案。（从 A B C D 四个选项中选择一个最佳答案）

1. 文章的主要内容是：（　　　）

　A. 大花猫的故事

　B. 我们家的大花猫性格古怪

　C. 我们家的大花猫天真可爱

　D. "我"爱淘气的大花猫

2. 根据上下文，"它有时的确很乖的"中"很乖"的含义是什么？（　　　）

    A. 老实　　　　B. 听话　　　　C. 让人喜欢　　　D. 以上各项

3. 我们家的大花猫贪玩表现在：（　　　）

    A. 它会一天一夜不回家

    B. 它不会一天一夜不回家

    C. 它经常很晚才回家

    D. 它会忘记回家

4. 作者对于大花猫的态度是：（　　　）

    A. 可笑　　　　B. 可爱　　　　C. 喜欢　　　　D. 生气

5. 从这篇文章我们可以知道：（　　　）

    A. 作者爱猫　　　　　　　　B. 猫喜欢作者

    C. 猫会捉老鼠　　　　　　　D. 猫怕作者

6. 以下哪种说法不正确？（　　　）

    A. 猫很淘气　　　　　　　　B. 猫很可爱

    C. 猫很名贵　　　　　　　　D. 猫很乖

7. 以下哪一项内容文章中没有提到？（　　　）

    A. 猫捉老鼠　　　　　　　　B. 猫小时候的事

    C. 作者家人对猫的态度　　　D. 以上各项

8. 这篇文章的语言特点是：（　　　）

    A. 口语化　　　B. 书面语化　　　C. 北京话　　　D. 普通话

二、根据文章内容判断正误。（正确的画"√"，错误的画"×"）

1. 大花猫性格多变。　　　　　　　　　　　　　　　　　　　　（　　　）
2. 大花猫捉一只老鼠需要几个钟头。　　　　　　　　　　　　　（　　　）
3. "跳上桌来在纸上踩印几朵小梅花"中"小梅花"是指猫的脚印。（　　　）
4. 大花猫的叫声丰富多样。　　　　　　　　　　　　　　　　　（　　　）
5. 大花猫不高兴时一声也不出。　　　　　　　　　　　　　　　（　　　）
6. 它什么都怕，最怕的是蛇。　　　　　　　　　　　　　　　　（　　　）
7. 大花猫小时候，鸡毛、线团都是它的好玩具。　　　　　　　　（　　　）
8. 大花猫玩的时候把院中的花草弄坏了。　　　　　　　　　　　（　　　）

三、请为下面各段选择一个最合适的小标题。

第［3］段：（　　　）

第［4］段：（　　　）

第［5］段：（　　　）

第［6］段：（　　　）

A. 胆小又勇猛的猫

B. 小时候的猫

C. 高兴时与不高兴时的猫

D. 老实又任性的猫

E. 贪玩又尽职的猫

文章二 是外国人，但不是外人①

① 外人（wàirén）：outsider。

【通读　约640字】

如今，会说中国话的外国人越来越多了，因为他们是外国人，却能用流利的汉语表演，让观众发笑，所以被人们称为"洋笑星"，大山就是其中一个。

大山是加拿大人，是 Mark Rowswell 的中文名字。他1965年出生，1984年考上多伦多大学（University of Toronto），开始学习"中国研究"。

② 相声（xiàngsheng）：crosstalk。中国一种民间说唱曲艺，主要采用口头方式表演，让观众发笑。

大山喜欢中国的相声②表演。他的相声结合了中西文化，给观众带来了很多欢乐。除了相声，他还做中外文化交流工作，用他的话说，是"给中国人介绍西方，让西方人了解中国"。

大山说，他的祖父母，在上个世纪的20年代来过中国。他的祖父是一名医生，第一次世界大战（World War I）结束后，带着祖母与三个孩子来到中国，在北京协和医院（Peking Union Medical College Hospital）工作，半年后，又在河南工作了两年。大山说，自己来到中国后，经常会想起他们。两代人在两个不同的历史时期来到中国，他希望在中国的工作和经历能够让祖父母感到自豪。

大山成为名人后，他的家庭和生活受到很多人的关注。大山的妻子叫甘霖（Gān Lín），重庆人，在北京出生长大。嫁给名人大山后，甘霖就当起"背后的女人"。为了避免（avoid）麻烦，两人在中国逛街时，大山走在前面，甘霖跟在他身后两米远的地方，有一次竟然被看成是大山的粉丝（fan）！

谈到自己的家庭生活，大山说："我们工作在北京，生活在加拿大。"因为孩子们在加拿大读书，大山一年中，有半年在加拿大。在家里，他和妻子有时说中文，有时说英文，他们希望，两个孩子对两种文化都熟悉，两边都是家。他自己也很难说清，孩子们究竟是中国人还是加拿大人。

因此有一种说法："大山虽然是外国人，但不是外人。"

（选自网络文章）

一、根据文章内容判断正误。（正确的画"√"，错误的画"×"）

1. 中国只有一个洋笑星就是大山。　　　　　　　　　（　　）
2. 大山是在加拿大出生的中国人。　　　　　　　　　（　　）
3. 大山在大学学习的专业是中国研究。　　　　　　　（　　）
4. 大山在中国的工作是相声表演。　　　　　　　　　（　　）
5. 大山的祖父母都是医生。　　　　　　　　　　　　（　　）
6. 大山的父母上个世纪在中国工作过。　　　　　　　（　　）

二、根据文章内容选择正确答案。（从ＡＢＣＤ四个选项中选择一个最佳答案）

1."洋笑星"的意思是什么？（　　）

    A. 可笑的外国人

    B. 用流利汉语表演让人发笑的外国人

    C. 会说汉语的外国人

    D. 爱笑的外国人

2. 大山做的中外文化交流工作是：（　　）

    A. 教外国人说汉语

    B. 给中国人做翻译

    C. 组织文化活动

    D. 给中国人介绍西方，让西方人了解中国

3. 大山说，自己来到中国后，经常会想起祖父母，这说明什么？（　　）

    A. 大山到中国来受到了祖父母的影响

    B. 大山也想在中国当医生

    C. 大山想念祖父母才来到中国

    D. 大山来中国是为了见到祖父母

4. 甘霖当起大山"背后的女人"，是因为什么？（　　）

    A. 大山是名人   B. 她不想出名

    C. 为了避免麻烦   D. 为了保护大山

5. "大山虽然是外国人，但不是外人。"这句话的意思是什么？（　　）

    A. 中国人认为大山是外国人

    B. 中国人不把大山当外国人

    C. 大山已经变成中国人

    D. 大山虽然是外国人，但是中国人把他看成自家人

文章三　自己的花是让别人看的

【通读　约680字】

爱美大概也算是人的天性吧。宇宙①间美的东西很多，花在其中占有重要的地位。爱花的民族也很多，德国在其中占有重要的地位。

四五十年以前，我在德国留学的时候，曾多次对德国人爱花之情感到吃惊。家家户户都在养花。他们的花不像在中国那样，养在屋子里，他们是把花都栽种（plant）在临街（face the street）窗户的外面。花朵都朝外开，在屋子里只能看到花的背面。我曾问过我的女房东：你这样养花是给别人看的吧！她一笑，说："正是这样！"

① 宇宙（yǔzhòu）: universe.

75

正是这样，也确实不错。走过任何一条街，抬头向上看，家家户户的窗子前，都是五颜六色（multicoloured）的花。许多窗子连接在一起，成了一个花的海洋，让我们看的人觉得好像走在两边开满了鲜花的乡村（countryside）小路上。每一家都是这样，在屋子里的时候，自己的花是让别人看的；走在街上的时候，自己又看别人的花。人人为我，我为人人。我觉得这是很令人思考的。

今天我又到了德国。刚一下火车，迎接我们的主人问我："你离开德国这样久，有什么变化没有？"我说："变化是有的，但是美丽并没有改变。"我说"美丽"指的东西很多，其中也包含着美丽的花。我走在街上，抬头一看，又是家家户户的窗口上都开满了鲜花。多么奇丽的景色（scenery）！多么奇特的民族（nation）！我仿佛（fǎngfú）又回到了四五十年前，我做了一个花的梦，做了一个思乡（homesick）的梦。

其实，不少国家都有爱花的传统，比如俄罗斯（Russia），因为冷，所以墙特别厚，窗台（windowsill）就特别宽，家家都养花。土耳其（Turkey）人的家，到处都是花墙，用花装点（decorate）的户门，也不比德国差。中国人也养花，不光养在院子里，还有很多养在房间里。爱美之心，各民族都有啊。

（选自《再返哥廷根》，作者季羡林）

一、根据文章内容判断正误。（正确的画"√"，错误的画"×"）

1. 德国人爱花之情让"我"感到吃惊。　　　　　　　　　　　（　　　）
2. 德国人都把花养在屋子里。　　　　　　　　　　　　　　　（　　　）
3. 德国人养花只是给别人看的。　　　　　　　　　　　　　　（　　　）
4. "我"又到了德国，发现花有了变化。　　　　　　　　　　（　　　）
5. "我"说的"美丽"包括美丽的花。　　　　　　　　　　　　（　　　）
6. 在德国，"我"很想念中国的花。　　　　　　　　　　　　（　　　）

二、根据文章内容填空。

1. 爱美算是人的_____。
2. 走过任何一条街，抬头向上看，_____的窗子前，都是_____的花。
3. 在屋子里的时候，_____；走在街上的时候，_____。

三、回答问题。

"我仿佛又回到了四五十年前，我做了一个花的梦，做了一个思乡的梦。"这句话的含义是什么？"思乡"指的是哪里？

文章四　户外①广告

① 户外（hùwài）：outdoors。

【略读　约520字　参考时间：7分钟】

　　户外广告是一种典型（typical）的城市广告形式。随着社会的高速发展，户外广告已不再仅仅是广告发展的一种形式，而是渐渐成为城市环境一个重要部分。

　　有了户外广告，我们的生活多了很多色彩和乐趣（pleasure）。坐公共汽车时不再无聊，因为可以找个靠窗的位置欣赏②街道上的广告；在人行道上郁闷（depressed）地等待红绿灯时，可以看看人行道附近的各种公益广告③；公共汽车换上了新装，吃的、喝的、玩的、用的，什么都有，吸引（attract）着人们的眼球。

② 欣赏（xīnshǎng）：appreciate。

③ 公益广告（gōngyì guǎnggào）：public service advertising。

　　21世纪，户外广告出现了更多的新型户外媒体（media）——公共汽车站广告、地铁站广告、机场广告、电梯广告、电话亭广告、立柱（stand column）广告、楼顶广告、霓虹灯④广告、LED等。

④ 霓虹灯（níhóngdēng）：neon light。装饰夜景的彩色灯。

　　在户外广告中，图形（graph, figure）最能吸引人们的注意力，所以图形设计在户外广告设计中尤其重要。图形可分广告图形与产品（product）图形两种。前者（the former）是指与广告主题有关系的图形（如：人物、动物、植物、环境等），后者是指要介绍的产品图形。

　　除了图形设计（design）以外，还要有生动的文字设计。户外广告的文字设计完全不同于报纸、杂志等的广告文字设计，因为人们在运动状态中不可能有更多时间阅读，所以户外广告文字应简洁（concise），一般都是以一句话为主，再加上简短的几句说明，这样才能使户外广告给人留下深刻印象。

（选自网络文章）

根据文章内容选择正确答案。（从ＡＢＣＤ四个选项中选择一个最佳答案）

　　1. 这是一篇什么文章？（　　　）

　　A. 说明文　　　　　　　　B. 记叙文

　　C. 广告　　　　　　　　　D. 议论文

2. 什么设计在户外广告设计中尤其重要？（   ）

    A. 广告图形　　　　　　　　B. 产品图形

    C. 图形设计　　　　　　　　D. 文字设计

3. 户外广告的文字设计要求是：（   ）

    A. 说明详细　　　　　　　　B. 简洁短小

    C. 只能用一句话　　　　　　D. 类似于杂志广告

冬春季节呼吸道传染病预防要点

【查读　约 320 字　参考时间：6 分钟】

冬春季节常见的呼吸道传染病有流感（flu）、肺结核（tuberculosis）等。

呼吸道传染病主要通过空气飞沫（flying particles of liquid）传播。如果在不通风的环境下长时间生活和学习，室内空气质量较差，就容易造成传染病的传播（spread）。

要预防呼吸道传染病，我们需要做到：

1. 在公共场所打喷嚏①或咳嗽时应用手绢或者纸巾盖住口鼻，不要随地吐痰，不要随意扔掉使用过的纸巾。

2. 经常洗手，不用脏毛巾擦手。打喷嚏后应立即洗手或把手擦干净。

3. 避免与他人用同一个水杯、餐具、毛巾和牙刷等物品。

4. 注意环境卫生和室内空气流通，如周围有传染病病人时，应增加开窗通风换气的次数，开窗时注意保暖。

5. 多喝水，多吃蔬菜水果，增强身体抵抗②能力。如果出现发热、咳嗽等症状，要及时去医院看病，注意营养和休息。

（选自网络文章）

① 打喷嚏（dǎ pēntì）：sneeze。

② 抵抗（dǐkàng）：resist。

根据文章内容填空。

1. 冬春季节常见的呼吸道传染病有 _____、_____ 等。

2. 呼吸道传染病主要经 _____ 传播。

3. 在公共场所打喷嚏要 _____。

4. 周围有传染病病人时，要增加 _____ 的次数，但要注意保暖。

日积月累

（从本课中找出5-8个你觉得有用的词语或句子）

11

文章一　君子之交淡如水

【细读　约 630 字】

丰子恺作品

梅兰芳《霸王别姬》扮相

① 抗日战争（Kàng Rì Zhànzhēng）：
Anti-Japanese War（1937—1945）。

画家丰子恺（Fēng Zǐkǎi）一辈子不喜欢访问素不相识的名人。然而，抗日战争①胜利后，他从重庆返回上海，立即去访问了有名的京剧艺术家梅兰芳。

对于梅兰芳来说，丰子恺的到来很突然。他曾听说丰子恺不仅是个画家，还是个音乐家，但他喜爱的是西洋音乐，对京剧没有好感，为什么来访问我呢？梅兰芳心里不明白。

一见面，丰子恺就解释：过去，有许多人反对京剧，要打倒它，我读了他们的文章，觉得有理，从此也看不起京剧。没想到留声机（gramophone）上的京剧音乐吸引了我，使我终于不买西洋音乐片子，以后专门买京剧唱片（record），特别是您的唱片了。原来，当时人们反对的是京剧里过时的老内容，我爱好的是京剧夸张（exaggerative）的、明快的形式——音乐与扮演。

听到这话，梅兰芳感受到一种被人理解的快乐，他笑了。他把丰子恺热情迎进客厅，问："丰先生，何时见过我在舞台上的演出呢？""战前，我曾看过一次，那时我不爱京戏，印象早已不清楚了。后来爱看京戏了，您又告别舞台了。"丰子恺这么说。

② 拜访（bàifǎng）：pay a visit, call
on。

当他在战后重新回到上海，听说梅兰芳又出来演戏了，立即到中国大戏院，连着看了 5 场梅戏。现在他来拜访②梅兰芳，是"要看看这个杰出人物真实的样子"，这是他这一生第一次。

梅兰芳虽然与丰子恺见面不多，但他的艺术以及人格，都给丰子恺留下了永远难忘的印象。

③ 才华出众（cáihuá chūzhòng）：
have brilliant talent。

1961 年中秋，丰子恺在一份晚报上，看到梅兰芳因病去世的消息，他非常难过，写文章称赞他是"一个才华出众③的大艺术家"。

（选自《梅兰芳的艺术和情感》，作者李伶伶）

一、根据文章内容选择填空，完成概要重述。

画家、散文家丰子恺不喜欢访问名人，但是抗战胜利后，他立即去访问了有名的京剧大师梅兰芳。梅兰芳对于丰子恺的来访__1__。因为他听说丰子恺对京剧__2__，为什么来访问我呢？梅兰芳心里不明白。

一见面，丰子恺就解释了原因，原来他喜欢的是京剧音乐与扮演方面夸张的、明快的__3__。梅兰芳真切地感受到一种被人理解、被人欣赏的__4__，他们两人聊得很好。

梅兰芳虽然与丰子恺见面不多，但他的艺术以及人格都给丰子恺留下了永久难忘的印象。

1. （　　） A. 没有思想准备　　 B. 一下子　　 C. 忽然　　 D. 没想好
2. （　　） A. 不明白　　 B. 不喜欢　　 C. 不懂　　 D. 没有感觉
3. （　　） A. 内容　　 B. 形式　　 C. 表演　　 D. 演员
4. （　　） A. 快乐　　 B. 悦耳　　 C. 高兴　　 D. 舒服

二、根据文章内容选择正确答案。（从ＡＢＣＤ四个选项中选择一个最佳答案）

1. "画家丰子恺不喜欢访问素不相识的名人"中"素不相识"的意思是：（　　　　）

　　A. 以前认识　　　　　　　　　　 B. 以前一直不认识

　　C. 朴素的　　　　　　　　　　 D. 忘记了的

2. 丰子恺是什么时候拜访梅兰芳的？（　　　　）

　　A. 1938年　　　　　　　　　　 B. 抗战胜利重返上海后

　　C. 1961年中秋　　　　　　　　 D. 文中没有提到

3. "过去，有许多人反对京剧，要打倒它"中"打倒"的意思是：（　　　　）

　　A. 打击，使消灭　　　　　　　　 B. 打倒在地

　　C. 打倒演员　　　　　　　　　　 D. 打击

4. 从文中我们可以知道：（　　　　）

　　A. 丰子恺对于京剧音乐很喜欢

　　B. 丰子恺对于京剧很有研究

　　C. 丰子恺对于梅兰芳很有兴趣

　　D. 丰子恺对于京剧很有看法

5. 以下哪种说法不正确？（　　　　）

　　A. 丰子恺是名人　　　　　　　　 B. 梅兰芳是名人

　　C. 许多人反对京剧　　　　　　　 D. 许多人反对梅兰芳

三、根据文章内容选择合适的词语填空。

1. 对于丰子恺的_____，梅兰芳感觉很突然。

　　A. 拜访　　　 B. 访谈　　　 C. 采访　　　 D. 访问

2. 我以后不再买西洋音乐的_____了。

　　A. 影片　　　 B. 唱片　　　 C. 影片　　　 D. 名片

3. 梅兰芳的艺术以及 _____，都给丰子恺留下了永远难忘的印象。

    A. 人品   B. 人生   C. 人类   D. 人格

4. 他非常难过，写文章 _____ 他是"一个才华出众的大艺术家"。

    A. 赞成   B. 赞叹   C. 称赞   D. 赞美

四、说一说"君子之交淡如水"的含义。

文章二　震惊世界的海啸①

① 海啸（hǎixiào）: tsunami。

【通读　约500字】

蓝色的大海，在一般人的心中，是平静和美丽的，它带给我们感动。但大海也有巨大的破坏力，在人们想不到的时候，杀人如麻②。

② 杀人如麻（shā rén rú má）: murder innumerable people。形容杀死很多人。

③ 沿岸（yán'àn）: along the coast。

2004 年 12 月 26 日，对于印度洋沿岸③国家的人们来说，日子和往常一样平静，度假的旅游者享受着大海带给他们的快乐。就在这一天，在 8900 米深的海底，一场 8.6 级的大地震悄悄地（noiselessly）发生了，接着是印度洋大海啸，转眼之间，几十万人的生命消失，数百万人失去了家和亲人。

在小池塘（pond）中投下一块石头，我们会看到波纹（ripple），不断地向外扩散（spread）。

但在大海里，海啸的波纹是看不见的，它通过海水向外传播，前进的速度能达到每小时 700 公里，海水越深，前进的速度越快，在大洋最深的地方，它们比飞机的飞行速度还快。但是海浪高度却只有 1 米 2，海上的船根本感觉不到它的存在。

④ 淹没（yānmò）: submerge。

当海啸上岸时，由于在很短时间内大量海水一起到来，形成几十米的水墙，一切都被淹没④了，没有明显的预示（forebode）。当人们感觉到时，已经太晚了！

⑤ 浮标（fúbiāo）: buoy。水面可以看到的目标。

虽然海洋不会永远平静而美丽，但人们仍然喜欢去大海边。现在，在 2000–5000 米深的太平洋底，已经有浮标⑤埋藏在那里，它们被称为海啸卫士（guard）。因为人们知道，海啸还会再来。

果然，2011 年，日本大地震引发的大海啸，再一次震惊了世界。

（选自网易网站）

一、根据文章内容判断正误。（正确的画"√"，错误的画"×"）

1. 蓝色的大海有着巨大的破坏力。　　　　　　（　　　）
2. 大海每天杀人如麻。　　　　　　　　　　　（　　　）
3. 2004年印度洋沿岸国家发生了海啸。　　　　（　　　）
4. 印度洋大海啸在8900米深的海底悄悄发生。　（　　　）
5. 印度洋大海啸使数百万人死亡。　　　　　　（　　　）
6. 我们可以看到大海海啸的波纹。　　　　　　（　　　）
7. 海啸时海水前进的最快速度比飞机的飞行速度还快。（　　　）
8. 海啸上岸时海浪只有1.2米高。　　　　　　（　　　）
9. 海啸上岸前没有明显的征兆。　　　　　　　（　　　）
10. 目前人们对于预知海啸的发生没有任何办法。（　　　）

二、根据文章内容选择合适的词语填空。

因为　虽然　现在　但是　已经

_____海洋不会永远平静而美丽，_____人们依然渴望去亲近大海。_____，在2000-5000米深的太平洋底，_____有浮标埋藏在那里，这些浮标被称为海啸卫士。_____人们知道，海啸迟早有一天还会再来。

文章三　一位演讲家的故事

【通读　约630字】

　　台湾大学哲学系（Philosophy Department）教授傅佩荣，是美国耶鲁大学（Yale University）的哲学博士。他除了在教学著书上很有成就外，还是一位杰出的演讲家，每年有几百场人生哲学演讲（speech）。

　　我见过傅教授。他风度①极好，知识丰富。最难懂的道理，经过他的解释后，都会变得通俗易懂。演讲时，傅教授从不看文稿，仿佛是聊天一样，但是思路清楚，没有一句多余的话。我常常想，这样了不起的口才（eloquence），是天生的，还是后天（acquired）练成的呢？

　　没想到这个问题傅教授自己提出来了。一次演讲中，他谦虚（modestly）地说："有人问我，傅教授，你的口才还可以啊，也许大家都没有想到，我小时候有很严重的口吃（stammer）。"

　　原来，傅教授小时候因为模仿（mimic）别人口吃，自己也得了严重（severe）的口吃。8岁到17岁，他在公开场合没有讲过一句话。他最怕在课堂上回答问题，一回答问题，课堂上就会笑成一片，连老师也忍不住发笑。

① 风度（fēngdù）：美好的举止姿态。

直到 18 岁，他才进行了正规（regular）的纠正与训练。在一次小学同学的聚会中，有同学问他，你还记得不记得小时候我们对你的嘲笑（deride）？

他回答，其实，我很感谢命运给我的这个十字架（cross）。因为口吃，他无法与人交流，交不到朋友，只好在学习上格外努力。

从小到大，他的成绩非常好，每次都是第一名。从初中到在美国读博士，他都是靠奖学金生活。

因为口吃，他比别人更深刻地感受到语言的重要。当终于可以流畅地（smoothly）说话时，他格外珍惜（cherish）自己说话的机会，希望自己所说的每一句话，别人都愿意听，都听得懂。

是口吃，让他取得以后的成就，成为著名的演说家。

（选自《山海经》，作者鲁小莫）

一、根据文章内容选择正确答案。（从ＡＢＣＤ四个选项中选择一个最佳答案）

1. 傅佩荣的职业是什么？（　　　）
   A. 哲学博士　　　　　　　　　B. 演讲家
   C. 大学教授　　　　　　　　　D. 中学学生

2. 傅教授演讲时从不看文稿，但是思路清楚，没有一句多余的话。说明他：（　　　）
   A. 汉语好　　　　　　　　　　B. 会说话
   C. 口才好　　　　　　　　　　D. 记性好

3. 傅佩荣的好口才和什么有关系？（　　　）
   A. 天生的能力　　　　　　　　B. 美国的留学经历
   C. 小时候的口吃　　　　　　　D. 职业的原因

4. 从小到大，他的学习成绩一直非常好，是因为什么？（　　　）
   A. 他很聪明　　　　　　　　　B. 学习很努力
   C. 不会说话　　　　　　　　　D. 不爱交朋友

5. 以下哪个词语与"格外"的意思相同？（　　　）
   A. 另外　　　　B. 特别　　　　C. 此外　　　　D. 除外

二、给下面一段文字选择一个合适的标题。

　　A. 我爱口吃　　　　B. 感谢口吃　　　　C. 我的命运　　　　D. 我是口吃演说家

其实，我很感谢命运给我的这个十字架。因为口吃，我无法与人交流，交不到朋友，只好在学习上格外努力。从小到大，我的成绩非常好，每次都是第一名。从初中到在美国读博士，我都靠着奖学金生活。因为口吃，我比别人更深刻地感受到语言的重要。当终于可以流畅说话时，我格外珍惜自己说话的机会，希望自己所说的每一句话，别人都愿意听，都听得懂。是口吃让我取得以后的成就，感谢命运给我的这个十字架——口吃。

文章四　如此报喜

【略读　约 670 字　参考时间：7 分钟】

据香港《文汇报》消息，诺贝尔奖委员会（Nobel Committee），为避免得奖者会通知自己的亲戚，并且，为了避免消息泄露（disclose）出去，决定在公布得奖前几分钟才通知得奖人。但是要在这么短时间里通知特别困难，所以常常要使用五花八门（all kinds of）的方式。

夜半铃声

1998 年，得到诺贝尔奖经济学奖的是印度人沈恩，当时，他正在地球的另一端。半夜时分，收到了委员会打来的电话，通知他，得到了本年度的经济学奖。接电话时，他心想：一定是发生了令人非常悲痛的事。

美国的查尔费，也是同样的情况。2008 年，一天深夜，他听到电话铃响，以为是邻居打来的恶作剧（practical joke），跟他开玩笑的。当时，他已经上床睡下，所以没爬起来接听，早上起床上网，才知道自己得了化学奖。

机师相告

1991 年，化学奖得主是瑞士人恩士特，他正在从莫斯科飞往纽约的客机上。当时，他正闭着眼睛休息，飞机上的机长亲自走到座位，告诉他得奖的消息。

1998 年，医学奖得主是美国人伊格纳洛。据他自己回忆说，当时，他身在法国尼斯机场，正在排队办理登机手续，一名机场服务人员请他接一个"从美国打来的重要电话"，他接过电话后，同事通知他得奖，他还以为是恶作剧，"开什么玩笑，我正忙着呢！"

记者追车

1997 年，获文学奖的意大利剧作家达利奥·福，正开车走在路上，电视节目记者开车追上来，追了很久，才赶上他。记者当时写了一个大大的字条，贴在车窗后面，上面写着：达利奥，你得了诺贝尔奖。达利奥·福简直不相信自己的眼睛。

人群围屋

德国的赛尔登，四年前获经济学奖。他当时购物后回家，看到屋外一大群人，包围了自己的房子，还以为家里被小偷偷了东西，后来有人走上来，祝贺他，说他获奖了。

（选自中国新闻网）

一、根据文章内容判断正误。（正确的画"√"，错误的画"×"）

1. 诺贝尔奖通知得奖人的做法常常令人很突然。 （　　）
2. 诺贝尔奖要在短时间内公布相当困难。 （　　）
3. 1998年经济学奖得主印度人沈恩接电话时以为是出了什么事。 （　　）
4. 美国的查尔费和印度人沈恩同时得到诺贝尔奖。 （　　）
5. 1991年化学奖得主瑞士人恩士特在飞机上得奖。 （　　）
6. 伊格纳洛的同事告诉他得了诺贝尔奖是一个恶作剧。 （　　）
7. 意大利剧作家达利奥·福开车超速引起记者注意。 （　　）
8. 德国的赛尔登四年前获经济学奖时家里进了小偷。 （　　）

二、根据文章内容用合适的词语填空。

1. 为了避免消息_____出去，在公布得奖前几分钟才通知得奖人。
2. 诺贝尔奖的告知方法_____。
3. 美国人查尔费以为邻居半夜打电话是一个_____。
4. 达利奥·福_____不相信自己的眼睛。

外语文化节活动海报

【查读　约520字　参考时间：6分钟】

　　为了培养我校学生学习外语的兴趣、提升语言能力、增强学生国际化意识，引导我校学生关注各国的文化、社会和习俗，同时促使学生将课内学习外语与课外使用外语有机结合，教务处与外国语学院将于10月21日至28日举办大型活动——"外语文化节"。

主　　题： 增强国际意识　提升语言能力

主办单位： 教务处、外国语学院

协办单位： 校办、校团委

承办单位： 外国语学院团委、青协

比赛评委： 外国语学院中外教师

参与对象： 全校本科生

文化节安排：

　　1. 10月21日（周三）—10月28日（周三）

　　2. 开　幕　式：10月21日

　　　各项活动：10月21日—28日

　　　闭　幕　式：10月28日

文化节活动：

1. 名师讲座

来自海内外的名家名师，每天为您带来一场高水平的讲座！

2. 名校文化

了解出国留学的最新动向，感受异域文化风情，领略国际名校风采，体会国外名校文化。

3. 各类竞赛

最棒的选手，最热情的观众，最活泼的第二课堂，最多样的比赛形式。外国语学院将组织五个语种的演讲、辩论、朗诵、配音、书法、歌唱、舞蹈等比赛，欢迎大家积极参与！

4. 电影展播

在精彩导读下看外国经典大片、世界各地风情片，体会不一样的精彩！每一天的精彩影片，敬请期待！

具体活动时间、地点和报名方式将陆续通过海报、传单以及网站主页、外院主页等形式公布，欢迎各位同学参加！

教务处、外国语学院

2010 年 9 月 20 日

根据海报内容填空。

1. 举办外语文化节的目的是＿＿＿＿＿＿＿＿＿＿＿＿＿＿＿＿＿＿

＿＿＿＿＿＿。

2. 通过＿＿＿＿＿＿＿＿＿＿＿＿＿＿＿＿方式可以得到具体的活动时间、地点和报名方式。

3. 外语文化节上有＿＿＿＿个语种的比赛。

日积月累

（从本课中找出5-8个你觉得有用的词语或句子）

12

文章一　北宋国画——《溪山行旅图》

【细读　约 650】

40 多年前，一位普通美国观众，在看完中国古代山水画后，提出这样的疑问："看你们的画，尽是些山峰、石头、树林、流水，难道说中国人都是住在山里面吗？"

中国古画是独一无二（unique）的，深含着诗意与灵感（inspiration），使人们感受到自然宁静（serene）的吸引力。

一千年前，北宋画家范宽的《溪山行旅图》，被称为宋代画的第一。在画中，立在画幅正中央的，是一座高大的山，细线一样的瀑布（waterfall）从高山飞下，消失在云烟里，一队人物，走在高山林中。

这幅画的内容并不复杂，但画法特别，画家用雨点一样密的手法，将山的高大逼真（vividly）地表现出来。

对于范宽，北宋时期的书中写得很少。我们只知道，这位先生喜欢喝酒，成天坐在石头上，向四面张望。

台湾艺术批评家（critic）蒋勋（Jiǎng Xūn）这样解释：画家觉得，人是一个过客[①]。人的一生就是：走进山水里面，还没有爬山之前，抬头看到山，对这山有很多的向往（yearn for），很多的渴望（aspire），很多的期待，然后，慢慢走进山里面去了。在山里，会碰到各种各样的事情，快乐的、不快乐的。等到爬完山以后，从山中返回，看到自己刚才走的那一条路，知道人世间的喜怒哀（āi）乐都过去了，一切都过去了。

① 过客（guòkè）: passing traveller.

也许，每个中国人心中，都有一个关于自然的童话。在台北故宫旁，有一座中式园林，名叫至善园。里面有很多景观，其中，有块叫"坐看云起"的石头，它的名字来源于唐朝诗人王维的一首诗：

行到水穷处，坐看云起时。

偶然值林叟，谈笑无还期。

千百年来，这一直是中国文人的人生最高理想（ideal）。表现这样生活的山水画，自然就成为中国画家们最喜爱的主题之一。

（选自网络文章）

一、根据文章内容选择填空，完成概要重述。

一千年前，北宋画家范宽的《溪山行旅图》，是宋代绘画的　1　。

台湾艺术批评家蒋勋对于这幅画的理解是：画家觉得　2　，走进一个山水里面去，还没有爬山之前，抬头看山，对这山有很多的向往，然后，慢慢走进山里面。在山里，会碰到各种各样的事情 。等到爬完山，从山中返回，看到自己刚才走的那一条路，他知道　3　

唐代诗人王维有一句诗：行到水穷处，坐看云起时。千百年来，这一直是中国文人的　4　。

1.（　　）　A. 代表作品　　　　B. 神仙的作品
　　　　　　C. 画的是神　　　　D. 疯狂作品

2.（　　）　A. 人生没意思　　　B. 人是自然的主人
　　　　　　C. 人是生命的过客　D. 人来了，又走了

3.（　　）　A. 他已经活过了　　B. 他已经死了
　　　　　　C. 他白活了　　　　D. 他什么都不知道

4.（　　）　A. 最富有的人生　　B. 最高级的人生
　　　　　　C. 理想人生　　　　D. 达不到的人生

二、根据文章内容判断正误。（正确的画"√"，错误的画"×"）

1.《溪山行旅图》内容复杂，画法特别。　　　　　　　　　　　　（　　　　）

2.《溪山行旅图》中没有人物。　　　　　　　　　　　　　　　　（　　　　）

3.《溪山行旅图》的作者是北宋一个不出名的画家。　　　　　　　（　　　　）

4. 每个中国人心中都有关于自然的童话。　　　　　　　　　　　　（　　　　）

5. 至善园中有一块叫"坐看云起"的石头。　　　　　　　　　　　（　　　　）

6. 描绘隐居生活的山水画是中国画家们最喜爱的主题之一。　　　　（　　　　）

三、拓展学习：唐诗书法欣赏。

终南别业（节录）

<唐> 王维

行到水穷处，坐看云起时。
偶然值林叟，谈笑无还期。

"行到水穷处，坐看云起时"含义：

登山者走着走着，走到水不见了，这时候干脆坐下来，看见山顶上云朵升起。原来水上了天，变成了云，云又可以变成雨，到那时，山又会有水了。

人生也是如此。

文章二 英语借走的"中国词"

【通读 约 590 字】

　　英语，代表西方的文化，是世界性的大语种，它成了现代与文明的标志。有人说，只要有两点，就是"现代文盲①"：一，不懂英语；二，不会电脑。

　　现代中国，为了"和世界接轨②"，人们学习英语、法语、俄语、德语、日语、意大利语、西班牙语和阿拉伯语等语言，因为语言是走向世界、走向文明的桥梁（bridge）。

　　今天，中国的国家实力（strength）一天天增强，汉语也逐渐变成了热门语言。仔细一看，才发现，许多英语词汇其实就是从汉语来的。欧洲人做过仔细的统计（statistics），1994 年以来，加入国际英语行列的词汇中，中式英语有 5% 到 20%，超过所有的其他语言。

　　一些有中国味道、代表中华文明、并影响全球当代生活的"白皮黄心的鸡蛋词"，早就默默③地影响全世界了。你看，"孔夫子（Confucius）"、"功夫（kung fu）"、"麻将（mahjong）"或者"豆腐（tofu）"之类，都是汉语里才有的名词，再挑几个真正有中国味道、代表中华文明，并影响全球当代生活的"鸡蛋词"：

　　silk——"丝绸（sīchóu）"的发音，显然是汉语的音译（transliteration）。

　　tea ——"茶"这个词，是英国人从闽南④话里拿走的。

　　feng shui—— 风水，还是音译。近年来，风水在美国很流行。

　　tycoon—— 大款，是指有钱的商人或者企业（enterprise）家，中国传统的叫法是"大掌柜（zhǎngguì）"。被英语拿走，也是闽粤⑤之地的音译。

　　此外，"关系"、"太空人"等这些词语也是汉语对英语词汇的丰富。

　　看来，全球化（globalization）并不只是经济一体化（integration），也是人类社会的全面一体化，当然也包括了语言。

① 文盲（wénmáng）: illiterate person。
② 接轨（jiēguǐ）: get onto the track, catch up with。这里指按照世界通行惯例行事。
③ 默默（mòmò）: silent.
④ 闽南（Mǐnnán）: 福建南部。
⑤ 粤（Yuè）: 广东省的简称。

一、根据文章内容判断正误。（正确的画"√"，错误的画"×"）

1. 不懂英语或者不会电脑，都是"现代文盲"。　　　　　（　　）
2. 汉语变成热门语言与中国国力的增强有关。　　　　　（　　）
3. 许多英语词汇来源于汉语。　　　　　　　　　　　　（　　）
4. 中式英语是中国人发明的英语。　　　　　　　　　　（　　）
5. "关系"、"太空人"等这些词语来源于英语。　　　　（　　）

二、根据文章内容选择正确答案。（从 A B C D 四个选项中选择一个最佳答案）

1. "一些有中国味道、代表中华文明、并影响全球当代生活的'白皮黄心的鸡蛋词'"中

"鸡蛋词"的意思是：（　　　）

A. 词语的形式是英语的，内容是中国文化

B. 词语外面的白色的，里面是黄色的

C. 词语长得像鸡蛋

D. 白色的鸡蛋和黄色的鸡蛋

2. "'孔夫子'、'功夫'、'麻将'或者'豆腐'之类，都是汉语里才有的名词"，这句话的意思是：（　　　）

A. 这些词什么语言里都有

B. 这些词只有英语里有

C. 这些词只有汉语里有

D. 这些词什么语言里都没有

3. "丝绸、茶、风水、大款"等都是有中国味道的"鸡蛋词"，意思是：（　　　）

A. 这些词有中国文化特点

B. 这些词符合汉语语法特点

C. 这些词像鸡蛋一样有味道

D. 这些词符合英语语法特点

文章三　有水的月球

【通读　约470字】

① 焦点（jiāodiǎn）：focus。

② 撞（zhuàng）：collide。

③ 支撑（zhīchēng）：support。

④ 竞争（jìngzhēng）：compete。

⑤ 热衷（rèzhōng）：十分爱好（某种活动）。

月球上到底有没有水？长期以来一直是科学家们注意的焦点①。为了找水，各国都在行动。

随着印度"月船一号"第一次发现月球表面有水，2009年10月9日19时31分，美国宇航局（NASA）又撞②月成功。这些消息引起国际社会的注意。

研究人员估计，从1吨（dūn）重的月球物质中，可以得到1公斤的水，相当于一个棒球（baseball）场大小的土地上，才有一杯水。

月球上的各种能源，可以对人类社会的发展起到长时间的支撑③作用。月球上每一次重大的科学发现，都会在一定程度上促进（promote）各国的探月行动，同时也会进一步推动国际上的竞争④。

二十世纪六七十年代，美苏两国在世界上第一次探月；进入二十一世纪以来，人类对于探月越来越热衷⑤，探月竞争从美洲到欧洲（Europe），亚洲也成为新的参加者。在新世纪开始的登月竞争中，除了过去国家之间的竞争外，还出现了国家之间合作的新特点。

现在，正在兴起第二次探月竞争，各国的研究内容包括：开发（exploit）月球资源；在月球上建立新的能源基地（base）；建立太空工业基地和科学

研究基地；发展月球媒体娱乐、交通运输和旅游业；有的还准备开发月球上的房地产（real estate）。

（选自新华网）

一、根据文章内容填空。

1. 美国撞月计划和印度"月船一号"行动都是在月球上寻找_____。
2. 从 1 吨重的月球物质中可以得到 1 公斤的水，相当于_____。
3. 月球上的各种能源，可以对_____起到长期的支撑作用。
4. 月球上每一次重大的科学发现，都会进一步推动世界各国的_____。
5. 二十世纪六七十年代，_____在世界上第一次探月。
6. 二十一世纪以来，探月竞争从美洲扩展到欧洲，_____也成为新的参与者。
7. 在新世纪的登月竞争中，国家之间除了竞争之外，还出现了_____的新特点。

二、下面句子中，哪些是文章中提到的关于第二次探月竞争的内容？（多项选择）

A. 在月球上建立棒球场
B. 在月球上建立新的能源基地
C. 建立太空工业基地和科学研究基地
D. 向月球移民
E. 发展月球媒体娱乐、交通运输和旅游业
F. 开发月球上的房地产

文章 四　闲话①筷子

① 闲话（xiánhuà）: chat。

【略读　约 350 字　参考时间：7 分钟】

对于真正传统的中国人来说，一天也离不开筷子。

在中国，筷子很平常，但是，在世界各国的餐具中独一无二，被西方人称为"东方的文明（civilization）"。

筷子的文明，在不同时期有不同的意义。唐朝时，筷子代表人正直的品格，筷子还包含（embody）两个人坐在一起吃饭，像一家人一样友好的意思。1972 年，美国总统尼克松访问中国，周恩来总理在人民大会堂用最高级的宴会招待他，使用了一种江安竹筷。周总理知道尼克松总统习惯使用刀叉，却安排了用筷子，这真的令人奇怪。其实，周总理是根据筷子的寓意②来招待客人，希望两国发展和平友好的关系。

② 寓意（yùyì）: implication。

筷子不但有特殊意义，还有特殊的作用。古代所说的"筹算（chóu suàn）"，就是春秋战国时，用筷子来计算的一种方法。

筷子简单方便，用处很大，在我们日常生活中有重要作用。筷子文化经历了四千多年的时间，现在已经传到世界各地。

根据文章内容选择正确答案。（从ＡＢＣＤ四个选项中选择一个最佳答案）

1. 文章的主要内容是：（　　　）

　　A. 筷子文化

　　B. 中国文化

　　C. 饮食文化

　　D. 筷子好坏

2. 文章中没有提到的餐具是：（　　　）

　　A. 刀　　　　B. 叉　　　　C. 筷子　　　　D. 手指

3. 关于筷子，以下说法不正确的是：（　　　）

　　A. 被称为"东方的文明"

　　B. 代表人正直的品格

　　C. 古代用于计算

　　D. 比刀叉更好用

北京小胡同里的联合国

【查读　约450字　参考时间：6分钟】

① 嘉年华（jiānniánhuá）: carnival。狂欢节，这里指除了吃饭还可以尽情玩乐的餐厅。

阿凡提嘉年华①是新疆人买买提女士和她的爱人——具有多年酒店管理经验的范哈提先生于1995年共同创建的一家餐厅。

餐厅具有新疆地区的特色，除了"新疆特色菜"以外，还有"阿凡提歌舞团"，成为北京一个独特的旅游景点。

餐厅独特的风格引起了社会的关注，被全世界一百四十多个国家的电视台重点报道，成为"北京小胡同里的天堂"、"北京小胡同里的联合国"。《华尔街日报》曾说："北京城里有个'阿凡提'，它几乎和中国的长城一样有名……"，来北京而没去过"阿凡提"就像没去过长城一样。

这里的宾客来自世界各地，他们身份不同，肤色（colour of skin）不同，语言不同，但在阿凡提的大家庭里，他们热情、友好、无拘无束。每位宾客在这里都能找到"自我"的感受！

餐厅现营业面积约700平米，适合于旅游、宴请、生日聚会、朋友聚会、家庭聚会、各种庆祝活动……

"阿凡提歌舞团"每晚19：45为客人表演节目，21：30在美丽热情的姑娘们陪伴下，来宾们进入著名的桌上狂欢（revel）。

★地点：东城区朝内大街188号

电话：65272288

营业时间：11：00AM—11：00PM

★演出时间：

上半场 19：45—20：30

下半场 20：45—21：30

桌上狂欢 21：30 至结束。

根据文章内容填空。

1. 阿凡提嘉年华是一个_____。

2. 阿凡提嘉年华的营业时间是_____。

3. 每晚_____开始桌上狂欢。

（从本课中找出5—8个你觉得有用的词语或句子）

13

文章一　知音①的来历

① 知音（zhīyīn）：intimate friend。

【细读　约450字】

中国，在三千年以前，音乐就已经非常发达。有一个小故事：

周朝时候，有一个学者（scholar），后人称他为列子。他告诉我们一个"伯牙鼓琴"的音乐故事：

有一个人叫伯牙，善于弹琴。他有一个好朋友，叫钟子期，善于欣赏音乐。

有一天，伯牙弹了一个即兴曲，也就是临时（provisional）作曲表演的曲子，曲子的主题是"高山"，他用音乐表达了他对高山的感想。钟子期听他弹完了，说："你这乐曲，峨峨然（高高的样子）若泰山②。"这就是说，乐曲听起来，好像泰山一般高大雄伟。

后来，伯牙又弹了一个即兴曲，表达了他对流水的感想。钟子期听他弹完了，说："你这乐曲，洋洋然（水流不断的样子）若江河。"这就是说，乐曲听起来，好像江河长远地流着。

② 泰山（Tài Shān）：Taishan Mountain。中国五大名山之一。

这两个人，一个是优秀的作曲家，一个是高明的音乐家，因为音乐，他们成了特别好的朋友。后来，钟子期死了，伯牙把琴摔（shuāi）破了，从此，不再弹琴，因为再也没有"知音"了，也就是再也没有人懂得欣赏他的曲子了。

这故事是说："知音难得"。所以后人就常常用"知音"来比喻互相了解很深的知心朋友。

（选自《随笔精编》，作者丰子恺）

一、根据文章内容判断正误。（正确的画"√"，错误的画"×"）

1. 中国在三千年之前音乐就已非常发达。　　　　　　（　　　）

2. 伯牙善于欣赏音乐，他的好朋友钟子期善于弹琴。（　　　）

3. 即兴曲，就是临时作曲而演奏的乐曲。　　　　　　（　　　）

4. 钟子期死了，伯牙从此不再弹琴。　　　　　　　　（　　　）

5. 没有"知音"，谁都不能弹琴。　　　　　　　　　　（　　　）

6. 伯牙和钟子期是知音。　　　　　　　　　　　　　（　　　）

7. 知音不容易遇到。　　　　　　　　　　　　　　　（　　　）

二、为下列句中画线部分选择合适的解释。

1. 他有一个好朋友，叫钟子期，善于欣赏音乐。（　　　）

　　A. 爱好　　　　B. 喜欢　　　　C. 善良　　　　D. 擅长

2. 曲子的主题是"高山"。（　　　）

    A. 乐曲表达的意思　　　　　　　　　　B. 乐曲的题目

    C. 有意思的乐曲　　　　　　　　　　　D. 乐曲让人感兴趣

3. 这两个人，一个是优秀的作曲家，一个是高明的音乐家。（　　　）

    A. 高大聪明　　　　　B. 高傲　　　　　C. 有水平　　　　　D. 高尚有道德

4. 因为再也没有"知音"了，也就是再也没有人懂得欣赏他的曲子了。（　　　）

    A. 互相深切了解的好朋友　　　　　　　B. 知道音乐

    C. 互相听得懂　　　　　　　　　　　　D. 同行

三、根据文章内容选择正确答案。（从ＡＢＣＤ四个选项中选择一个最佳答案）

1. "即兴曲"是什么意思？（　　　）

    A. 临时写的曲子　　　　　　　　　　　B. 临时演奏的曲子

    C. 临时作曲而演奏的曲子　　　　　　　D. 高兴演奏的曲子

2. "伯牙鼓琴"的"鼓"意思是：（　　　）

    A. 弹琴　　　　　　　B. 打击　　　　　C. 敲鼓　　　　　D. 摔破

3. "知音难得"的意思是：（　　　）

    A. 知道音乐不容易　　　　　　　　　　B. 了解朋友不容易

    C. 知心朋友很难遇到　　　　　　　　　D. 好人难得

文章二　"小雪"节气

【通读　约440字】

11月22日，是中国农历二十四节气的"小雪"。

小雪节气，是强烈的冷空气活动较多的节气。　1　，常有大规模（scale, scope）的冷空气南下，中国东部会出现大面积的大风、降温天气。强烈的冷空气到来时，　2　。中国地方大，"小雪"反映了北方的黄河中下游地区的气候情况。这时，北方包括东北、华北、西北，已进入封冻（freeze-up）季节，显现出　3　。

在小雪之前的立冬节气，中国的西北、东北的大部分地区，已经有雪，到了小雪节气，华北地区会下雪。　4　，那么，到小雪节气，冷空气的直接表现就是，这些地区的气温会达到0℃以下。我们都知道，只有当气温在0℃以下时，　5　。所以，小雪时候比初冬时候气温低，是很明显的。

以长江为界限，江南的长江中下游地区，到了小雪节气，才进入冬季。虽然，全国下雨的情况，随着冬季的到来会慢慢减少，但是，江南比江北雨水还是多一些。这一地区，12月中下旬才有第一场雪，但这时的阴雨天气给人们的感受已经不是秋天凉快的感觉，___6___，这种感觉很不舒服。相反，北方干冷地区，因为房间有暖气（heater），人的感觉舒服多了。

一、将下面6个句子填入文中适当的画横线位置上。

A. 常有入冬第一场雪

B. 初冬景象

C. 如果说立冬节气是中国北方地区进入冬季的开始

D. 小雪节气后

E. 而是又湿又冷

F. 降水才由下雨变成下雪

二、根据文章内容选择正确答案。（从ＡＢＣＤ四个选项中选择一个最佳答案）

1. 文章的主要内容是关于：（   ）
   A. 立冬节气的气候特征   B. 小雪节气的气候特征
   C. 北方气候   D. 南方气候

2. 文章中北方指的是：（   ）
   A. 长江中下游地区   B. 黄河中下游地区   C. 东北、华北、西北   D. 华北

3. 文章中江南江北的分界线是什么？（   ）
   A. 长江   B. 黄河   C. 长江南   D. 黄河北

4. 在中国，哪里的冬天不舒服？（   ）
   A. 北方干冷地区   B. 农村没有暖气地区
   C. 江北的长江中下游地区   D. 江南的长江中下游地区

文章三 心灵的另一扇窗户

【通读 约420字】

　　　　人们常说，眼睛是心灵的窗户，但能够透露（leak out）你思想的，不仅仅只有眼睛，还有你的手。研究发现，手上的小动作欺骗（deceive）性很小，就像一面镜子，把你内心的想法照出来。

　　　　搓（rub）手掌：这个动作，从小孩子就可以看出来。拿一块巧克力逗小孩，做出要给他的样子，你会发现，孩子会冲着你笑，并且搓搓他的小手掌。

　　　　在成人身上，如果一位老板接到了一份大订单（order for goods），他在鼓动（agitate, incite）员工要努力、要大干时，也常常会搓手掌。还有人，在等待运动员出场时也会搓手。

搓手掌，最常见的心理是什么呢？就是对事物有期待，这种期待是自信的。这个动作的另一个含义是紧张不安。我们常常看到，那些初次登台演讲的人，由于紧张，一开始会有点儿不知道该怎么办，也常会搓手掌。

手托腮（sāi）：千万不要误会，这不是说明这个人想睡觉，它的含义非常丰富。如果手托腮时，食指和中指紧贴脸，说明他对别人的发言正在进行认真思考。如果手托着下巴，说明这个人对别人的发言，一点儿也没有兴趣。

手伸进口袋里玩东西：不少人喜欢将手伸进口袋里玩硬币、钥匙等。这样的动作，表示的心理有两种：一是把钱看得非常重；二是缺钱，希望马上得到钱财。习惯玩钥匙等小玩意的人，可能是在提醒别人，意思是说"你应该重视我"。

（选自《生命时报》）

一、根据文章内容填空。

1. 能够透露你所思所想的不仅仅只有眼睛，还有_____。

2. 手上的小动作就像_____把你内心的想法照出来。

3. 当你拿一块巧克力给孩子时，他会_____。

4. 在等待运动员出场时，有人也会_____。

5. 搓手掌的另一个含义是_____。

二、根据文章内容连线。

手托腮　　　　　　　　　　　希望很快得到钱

手托下巴　　　　　　　　　　可能没有钱了

手伸进兜里摆弄东西　　　　　说明这个人对别人的发言没有兴趣

习惯玩钥匙等小东西　　　　　认为钱很重要

　　　　　　　　　　　　　　可能是提醒别人"你应该重视我"

　　　　　　　　　　　　　　说明他正认真思考

文章四　为什么二月天数少

【略读　约 600 字　参考时间：7 分钟】

翻开日历（calendar），人们会看到，无论哪一年，大月都是三十一天，小月都是三十天，只有二月天数最少，二十八天，这是为什么呢？

大家知道，地球绕太阳转一周，需要三百六十五天五小时四十八分四十六秒，为了计算方便，每年定为三百六十五天，叫做平年；每年多出的五小时四十八分四十六秒，需要四年才能凑足（make up）一天，这一天就加在二月份，所以这一年就有三百六十六天，叫做闰年（rùnnián）。说到这里，人们一定要问：那为什么二月的天数反倒最少了呢？这里有一段故事。

传说，公元前（BC）46年，一个皇帝在修改历法时，规定每年为十二个月，一、三、五、七、十、十二月定为大月，每月三十一天；其他月份定为小月，每月三十天。这样，大小各六个月，使人很容易记住，应用起来也很方便。

但是，照这样规定，一年就不是三百六十五天，而是三百六十六天了，因此必须找出一个月减去一天。减哪个月合适呢？那个时候被判处死刑①的犯人（prisoner）都在二月份处死，所以人们都希望二月这个月能快点儿过去。于是，就把二月减去了一天。这样，二月就剩下二十九天了。

后来，另一个人做了皇帝。他发现老皇帝是七月份生的，七月是大月，而他自己是八月份生的，八月却是小月。为了显示自己和前一位皇帝有同样尊严（dignity），他就把八月也定为大月，改为三十一天。而八月多出的这一天仍然是从二月份减去。这样，二月就只剩下二十八天了。

只是每过四年，也就是闰年，二月才是二十九天。这就是二月份天数少的来历。

（选自百度知道）

---

① 判处死刑（pànchǔ sǐxíng）：sentence sb. to death。

根据文章内容选择正确答案。（从ABCD四个选项中选择一个最佳答案）

1. 文章的主要内容是：（　　　）

    A. 一年的天数

    B. 一个月的天数

    C. 二月份的天数

    D. 日历的来历

2. 一年有366天是：（　　　）

    A. 平年　　　　　　　　　B. 闰年

    C. 大年　　　　　　　　　D. 小年

3. 根据文章内容，二月天数少与下面哪一项有关系？（　　　）

    A. 月亮　　　　　　　　　B. 地球

    C. 太阳　　　　　　　　　D. 皇帝

你对北京知多少

【查读　约 540 字　参考时间：6 分钟】

北京是中华人民共和国的首都，总面积 16,808 平方公里，市区面积 1040 平方公里。北京是中国的政治、文化和国际交往中心，也是世界历史文化名城和古都之一。

公元 938 年，统治中国北方的辽以北京（时称燕京）为陪都（auxiliary capital）；以后，金、元、明、清各代都以此地为首都，前后达 650 多年。1949 年 10 月 1 日中华人民共和国成立，北京成为新中国的首都。

北京北面有军都山，西面有西山，与河北交界的东灵山，海拔（height above sea level）是 2303 米，是北京的最高峰。北京有密云水库、怀柔水库和十三陵水库等三大水库；有潮白河、北运河、永定河、拒马河和汤河五大河。

北京的气候属于温带季风（monsoon）气候，季节分明（clear, distinct）：春季有风沙，气温比较低；夏季炎热，多阵雨；秋季天气晴朗、温和，天高云淡，是旅游的黄金季节，但深秋早晚较凉，中午较热；冬季气候干燥寒冷，较少下雪。

北京拥有众多的历史文化遗迹（historical sites），如长城、故宫、颐和园等。

长城是世界上最长的建筑，绵延（stretch long and unbroken）万里，因此被称为"万里长城"。

故宫原名紫禁城（Forbidden City），是明、清两代 24 位皇帝的皇宫，是中国保存最大最完整的帝王宫殿（palace）群，也是中国现存最大最完整的古建筑群。

颐和园是中国现存规模最大、保存最完整的皇家园林，被誉为皇家园林博物馆。北京的天安门广场面积 44 万平方米，南北长 880 米，东西宽 500 米，是世界上最大的广场。

根据文章内容填空。

　　1. 北京的最高峰是＿＿＿＿＿＿＿＿＿＿＿。

　　2. 北京最好的季节是＿＿＿＿＿＿，特点是＿＿＿＿＿＿＿＿＿＿＿＿＿＿＿＿。

　　3. 中国现存最大最完整的古建筑群是＿＿＿＿＿＿＿＿＿＿＿。

日积月累

（从本课中找出5-8个你觉得有用的词语或句子）

14

文章一　中国人的虚岁

【 细读　约 460 字 】

　　有人说，在全世界，或许（maybe）只有中国人有两个年龄，一个周岁，一个虚岁。对于"周岁"是怎么回事，可能一般人还能说得清楚。而虚岁怎么"虚"，可是件很容易让人迷惑①的事情。很多人认为，周岁加一岁得出的结果就是虚岁。这是一个似是而非②的说法。

　　其实，很多时候，"虚岁"这个概念（concept）一般只用于男人，也就是"男进女满"，意思是，男人用虚岁计算年龄，女人用实岁计算年龄。而且，在实际的计算中，虚岁也不只是周岁加一岁那么简单。

　　虚岁的计算方法是这样：一个人一出生就算一岁；如果一个人正好出生在农历年最后一天，那么不但一出生就算一岁，并且一到大年初一（农历 1 月 1 日）就又要加一岁，这样算的话，这个孩子到了满实岁一岁时，他的虚岁就已经是三岁了。

　　因此，在计算虚岁时，春节是个特别重要的时间点，每过一个春节，虚岁就应该加上一岁。如果一个人的生日是农历的 12 月下旬③，那他还没有满月，虚岁就到两岁了。那种认为虚岁就是周岁加一岁的看法显然（obviously）是不完全正确的。

　　知道了这个道理，我们就会理解，为什么很多老人常常会提前两年，过自己的七十大寿、八十大寿了。

（选自凤凰网）

① 迷惑(míhuò)：confused。不明白。
② 似是而非（sì shì ér fēi）：apparently true but actually false。看起来好像是对的，实际上是错的。

③ 下旬（xiàxún）：last ten days of a month。

一、为下列词语选择正确的解释。

1. 迷惑（　　　）　　　A. 好像正确实际上是错误的。

2. 似是而非（　　　）　B. 感到不明白。

3. 男进女满（　　　）　C. 男人按虚岁计算年龄，女人按实岁计算年龄。

4. 大寿（　　　）　　　D. 年长的人的重要的生日。

二、根据文章内容判断正误。（正确的画"√"，错误的画"×"）

1. 全世界的中国人都有两个年龄。　　　　　（　　　）

2. 周岁加一岁得出的结果就是虚岁。　　　　（　　　）

3. 一般只有中国年轻男人有虚岁。　　　　　（　　　）

4. 在中国，一个人一出生就已经是三岁。　　（　　　）

5. 计算虚岁时春节是个特别重要的时间点。　（　　　）

三、根据文章内容选择正确答案。（从ＡＢＣＤ四个选项中选择一个最佳答案）

1. 对于"周岁"是怎么回事，一般中国人能说明白吗？（　　　）

　　A. 非常明白　　　　　B. 不太明白　　　　　C. 比较清楚　　　　　D. 不大清楚

2. "周岁加一岁得出的结果就是虚岁。这是一个似是而非的说法。"这句话的意思是：

（　　　）

　　A. 虚岁等于周岁加一岁其实是错误的　　　　B. 虚岁等于周岁加一岁其实是正确的

　　C. 虚岁等于周岁加一岁好像是错误的　　　　D. 虚岁等于周岁加一岁好像是正确的

3. "男人用虚岁计算年龄，女人用实岁计算年龄。"这句话的意思是：（　　　）

　　A. 男人有虚岁，女人有周岁　　　　　　　　B. 男人只有虚岁

　　C. 女人只有周岁　　　　　　　　　　　　　D. 男人女人年龄的计算方法不同

4. 一个孩子出生在农历年最后一天，他到满实岁一岁时：（　　　）

　　A. 虚岁是两岁　　　　　　　　　　　　　　B. 虚岁是三岁

　　C. 周岁是两岁　　　　　　　　　　　　　　D. 周岁是一岁

5. 很多老人会提前两年过自己的七十大寿、八十大寿是因为：（　　　）

　　A. 老人按照周岁过生日　　　　　　　　　　B. 老人按照虚岁过生日

　　C. 老人希望自己看起来老一点儿　　　　　　D. 老人希望自己年轻一点儿

四、按照中国人计算年龄的方法，算一算自己的虚岁。

我的虚岁是＿＿＿＿＿＿

文章二　令人担忧的汉字书写

【通读　约640字】

① 教育部（jiàoyùbù）：Ministry of Education。

　　在中国教育部①《全日制（full-time）语文课程标准》中明确规定，书写汉字的最低要求是：规范（standard）、端正（upright）、整洁（neat）。

　　但是，教育部一项调查显示（demonstrate），在全国3000多名教师中，60%的人认为，自己学生的汉字书写水平在下降；这些学生（1.2万余名）中，有65%的人表示，应当赶快制定汉字书写等级（rank）标准，好让自己明确怎样写字才算合格。

　　"书写难看、提笔忘字、写错别字"，是目前常见的三大书写问题。在互联网上，不久前，有一项调查，共有4102名网友参加，结果显示：37%的人经常提笔忘字，很多不难的字都忘了怎么写；22%的人要写字时，首先想到的是用电脑，而不是笔；16%的人觉得，除了名字写得还行，其他字基本难看得不能看；13%的人去外面听课或者开会，最怕的就是记笔记。

2009 年 6 月，武汉（Wǔhàn）大学对 2100 多名大一新生进行了第一次汉字书写测试，负责测试的老师用这样的话形容一些学生的字迹："吓人！"测试结果显示，有 320 名学生写字"不及格"，也就是，连"规范、端正、整洁"都没有办法达到，比例很高，占参加测评全部人数的 15%。

中国汉字是方块（square, block）文字，它有自己的"构建系统"（指一个字由什么笔画组成）和"笔画系统"（指笔画放在什么位置）。这就是说，即使你了解了一个字的字形，也不一定能很好地把握它的结构。比如明天的"明"，这个字的左边是"日"，右边是"月"；但它的写法不是把这两部分放在一起就可以了，要想写得好看，"日"字要写得靠上面一点儿才会好看。

汉字书写是一门艺术，但是在信息时代的今天，它正慢慢被电脑所代替（replace）。

（选自《北京科技报》）

一、根据文章内容选择正确答案。（从ＡＢＣＤ四个选项中选择一个最佳答案）

1. 下面哪一项不是中国教育部《全日制语文课程标准》对汉字书写的要求？（ ）

　　A. 规范　　　　　　B. 端正　　　　　　C. 漂亮　　　　　　D. 整洁

2. 从文章中我们可以知道什么？（ ）

　　A. 教师的汉字书写水平在下降　　　　B. 60%的人汉字书写水平在下降

　　C. 学生的汉字书写水平在下降　　　　D. 65%的人汉字书写水平在下降

3. "好让自己明确怎样写字才算合格"中的"自己"指的是：（ ）

　　A. 老师　　　　　　B. 学生　　　　　　C. 所有人　　　　　　D. 普通人

4. 目前常见的书写问题有：（ ）

　　A. 书写难看　　　　B. 提笔忘字　　　　C. 写错别字　　　　D. 以上各项

5. "中国汉字是方块文字，它有自己的'构建系统'和'笔画系统'"。这句话的意思是：

　　　　　　　　　　　　　　　　　　　　　　　　　　　　　　　　　　　（ ）

　　A. 只要了解字形，就能写好汉字　　　B. 只要了解字的结构，就能写好汉字

　　C. 即使了解字形，也不一定能写好汉字　D. 即使不了解字形，也一定能写好汉字

二、根据文章内容判断正误。（正确的画"√"，错误的画"×"，没有提到的画"○"）

1. 很多人要写字时首先想到的是电脑，而不是笔。　　　　　　　　　　（ ）

2. 网上对4102名网友的调查显示，16%的人除了名字会写，其他字都不会写。（ ）

3. 武汉大学很多大一新生汉字书写让老师生气。　　　　　　　　　　　（ ）

4. 中国汉字是方块文字意味着很容易书写。　　　　　　　　　　　　　（ ）

5. 汉字的"构建系统"指的是一个字由多少个笔画组成。　　　　　　　　（ ）

6. 汉字的"笔画系统"指的是笔画放在什么位置。　　　　　　　　　　　（ ）

7. 汉字书写也是一种情感寄托。　　　　　　　　　　　　　　　　　　（ ）

文章三　寻物启事的写法

【通读　约530字】

　　寻物启事是指单位或个人丢失东西后，希望他人帮助寻找而使用的应用（practical）文体。

　　寻物启事按照失主的身份，可以分为两种：一种是由于个人遗忘或不小心把东西遗失（lose）而写的寻物启事，另一种是由于单位遗失了东西而发布（publish）的寻物启事。

　　寻物启事可以贴在失物地点、单位门口、大街上，也可登在报纸上，或者通过电视台、电台告诉大家。

　　寻物启事一般包括标题、正文（main body）、落款（signature）三项内容。

　　标题可以直接用《寻物启事》，或者加上丢失物品的名称，如《寻手机启事》、《寻钥匙启事》等。

　　正文一般包括以下三方面内容：丢失物品的名称、数量、形状、丢失的时间、地点等；寻物者的单位、姓名、地址、电话号码、邮政编码等；还可以写感谢之类的话语。

　　落款写上单位的名称或个人姓名，并写上日期。

　　请看下面的两则范文：

寻物启事

　　本人于3月5日上午8时左右，在朝阳公园内遗失黑色公文包一只，内有身份证、驾驶证（driving license）、工作证等证件，以及带有瑞士（Switzerland）小军刀（sabre）的钥匙一串。拾到者请打电话13693348177与本人联系。面谢。

联合电脑公司　黄力

3月5日

寻车启事

　　本月19号，本公司的一辆白色全新桑塔纳（Santana）2000小轿车在西直门附近丢失。车牌号：京MW535。知情者（insider, person in the know）请速与我公司联系，有重谢。联系人：张山，联系电话：13902234567。

大白纸业公司

8月20日

（选自网络文章）

一、文章的主要内容是：（　　　）

    A. 一则寻物启事　　　　　　　　B. 一则寻车启事

    C. 寻物启事的格式和写法　　　　D. 一种新闻文体

二、根据文章内容，寻物启事一般包括：（　　　）

    A. 年、月、日三项　　　　　　　B. 标题、正文、落款

    C. 时间、地点、物品　　　　　　D. 姓名、单位、电话

三、你的课本丢在了图书馆阅览室，请仿照范文写一则寻物启事。

文章四　父亲给女儿的一封信

【略读　约520字　参考时间：7分钟】

亲爱的女儿：

    我想告诉你，我们为你感到特别骄傲。能进入理想的大学，证明（prove）你是一个全面发展的优秀学生，是一个多才多艺（versatile）的女孩。

    我希望你理解：最重要的，不是你学到的具体的知识，而是你学习新事物和解决新问题的能力。这才是大学学习的真正意义——这将是你从被动（passive）学习转向自主学习的阶段，之后，你会变成一个很好的自学者。

    我希望你记住，任何问题都没有一个唯一的、简单的答案。

    在大学里，你要选你感兴趣的课程。在功课上要尽力，但不要给自己太多压力。最重要的是在大学里你要交一些朋友，快乐生活。大学的朋友往往是生命中最好的朋友，因为在大学里，你和朋友能够近距离交往。但也要和

你高中时代的朋友保持联系。

我希望你知道，父母最爱的就是你，所以照顾好自己就是对父母好的最好方法。你一定要好好照顾自己。

大学是你自由时间最多的四年，大学是你第一次学会独立的四年，大学也是你犯错误代价（price）最低的四年。

珍惜你的大学时光，好好利用你的空闲时间，成为掌握自己命运的独立思考者，发展自己的多方面才能，大胆地去尝试，通过不断的努力，学习成长，成为融汇①中西的人才。

希望大学的四年成为你一生中最快乐的四年，希望你成为你梦想成为的人！

① 融汇（rónghuì）: blend together.

爱你的爸爸

（选自百度文库，作者李开复）

一、根据文章内容选择正确答案。（从 A B C D 四个选项中选择一个最佳答案）

1. 这位父亲为什么给女儿写信？（　　　）

    A. 女儿多才多艺

    B. 女儿是一个全面发展的优秀学生

    C. 女儿考上了理想的大学

    D. 为女儿感到特别骄傲

2. 这位父亲认为大学学习的真正意义是什么？（　　　）

    A. 学到更多的具体知识

    B. 培养自己学习新事物和解决新问题的能力

    C. 从被动学习转向自主学习

    D. 成为一个自学者

3. 父亲为什么说"大学的朋友往往是生命中最好的朋友"？（　　　）

    A. 因为在大学里朋友之间能够近距离交往

    B. 因为跟高中时代的朋友不方便联系

    C. 因为可以跟朋友选同样有兴趣的课程

    D. 因为大学生活很短暂

4. 根据文章内容，下面哪句话是正确的？（　　　）

    A. 大学是自由时间不多的四年

    B. 大学是完全独立的四年

    C. 大学是必须自学的四年

    D. 大学是犯错误代价最低的四年

5. "融汇中西的人才"中"融汇中西"的意思是：（　　　）

    A. 融合中西文化　　　　B. 会中西语言　　　　C. 有中西朋友　　　　D. 吃中餐西餐

二、请用女儿的口气给父亲写一封回信。

微 博

【查读 约 270 字 参考时间：7 分钟】

微博是"微博客（microblog）"的简称，可以理解为"一句话博客"。你可以将身边的新鲜事，写成一句话或发一张照片，通过电脑或手机，随时随地①发送给朋友。

现在，网上流行的说法叫"织围脖"，织围脖就是写微博，微博有字数限制（limit），一般要在 140 个字以内。就像写心情一样，用起来很方便。

① 随时随地（suí shí suí dì）：at anytime and anywhere。

"微博"都可以做什么？

● 发表微博：你可以将你看到的、听到的、想到的事情，写成一句话或拍一张照片，通过电脑或者手机，发表到微博上面；

● 查看微博：你可以使用微博中的"关注"功能，去关注你感兴趣的明星、朋友；

● 参与话题：你可以邀请你的朋友，一起讨论一篇新闻或一个热门词语。

（选自新浪网）

回答问题。

1. 微博是什么？

2. 微博可以用来做些什么？

（从本课中找出5—8个你觉得有用的词语或句子）

文章一　成本①及其他

① 成本（chéngběn）：cost。

【细读　约500字】

　　一位著名经济学家（economist）告诉我：学经济学，其实很简单，你只要记住两个字就可以了。这两个字是什么呢？就是"成本"。

　　人们总是以为，投资的成本，就是投入资金（fund）的数额，其实，这是不完全对的。投资的成本，除了钱之外，更重要的，还有投资者接下来要用的时间。

　　如果你投资股票（stock），你得盯着行情②；如果你投资2000万元办一个分公司，除了事先的准备之外，事后你还得花时间去听汇报（report），派人去察看，听汇报的时间，就是新的成本，因为你不能做其他事了，于是，产生了机会成本，派人察看的费用，也是新的成本，就是最后要退出，也还有一个结算③合同（contract）的成本。

② 行情（hángqíng）：market conditions。

③ 结算（jiésuàn）：settle accounts。

　　更简单的例子是，你投20块钱，到书店去买一本书，如果回来要看它，你就得投入时间，时间就是得到这本书知识的新的成本，如果你没有时间看，20块钱投资就浪费（waste）了。

　　生活中到处可以见到成本：

　　向前一步的成本是不能后退（retreat）一步，欢乐的成本是忘掉痛苦；

　　偷懒的成本是失去工作，勤劳的成本是引来忌妒④；

　　学习的成本是寂寞⑤，思考的成本是孤独；

　　看不起别人的成本是很少有朋友，随和⑥的成本是被小看（despise）；

　　死的成本是什么都不知道，生的成本是喜、怒、哀、乐、愁……

④ 忌妒（jìdù）：be jealous。
⑤ 寂寞（jìmò）：lonely。
⑥ 随和（suíhe）：amiable。容易相处。

（选自《一个民企经理人的思与说》，作者郭梓林）

一、根据文章内容判断正误。（正确的画"√"，错误的画"×"）

1. 学经济学很简单，只要记住"经济"两个字。　　　　（　　　）

2. 投资的成本就是投入的资金。　　　　　　　　　　（　　　）

3. 为投资所花的时间叫时间成本。　　　　　　　　　（　　　）

4. 买一本书如果你没有时间看就是成本浪费。　　　　（　　　）

5. 偷懒的成本是失去工作，勤劳的成本是得到工作。　（　　　）

6. 学习有成本，思考不需要成本。　　　　　　　　　（　　　）

二、根据文章内容选择正确答案。（从ＡＢＣＤ四个选项中选择一个最佳答案）

1. 关于"成本"一词，更重要的含义是：（　　　）

　　A. 机会成本　　　　B. 合同的成本　　　C. 所投入的时间　　　D. 所投入的钱

2. "如果你投资股票,你得盯着行情。"这句话中"盯着行情"的意思是:(   )

    A. 每天看股票变化   B. 每天买卖股票   C. 每天看情况   D. 每天盯人

3. 作者怎样说明成本的含义?(   )

    A. 用简单的事   B. 用钱   C. 用时间   D. 用例子

4. 关于生活中的成本,以下哪种说法正确?(   )

    A. 生活中不需要成本   B. 生活中到处都是成本

    C. 生活中到处可见成本   D. 生活中到处需要成本

5. 文章第〔5〕段话中,"成本"一词实际上是指:(   )

    A. 做事情的结果   B. 人付出的代价   C. 成功以后的本钱   D. 反义词

三、根据文章内容填空。

1. 向前迈一步的成本是 ＿＿＿＿＿＿＿＿＿＿＿＿＿。

2. 欢乐的成本是 ＿＿＿＿＿＿＿＿＿＿＿＿。

3. 偷懒的成本是 ＿＿＿＿＿＿＿＿＿＿＿＿。

4. 勤劳的成本是 ＿＿＿＿＿＿＿＿＿＿＿＿。

5. 学习的成本是 ＿＿＿＿＿＿＿＿＿＿＿＿。

6. 思考的成本是 ＿＿＿＿＿＿＿＿＿＿＿＿。

7. 死的成本是 ＿＿＿＿＿＿＿＿＿＿＿。

8. 生的成本是 ＿＿＿＿＿＿＿＿＿＿＿。

四、谈一谈对文章最后一段的理解。

＿＿＿＿＿＿＿＿＿＿＿＿＿＿＿＿＿＿＿＿＿＿＿＿＿＿＿＿＿＿＿

＿＿＿＿＿＿＿＿＿＿＿＿＿＿＿＿＿＿＿＿＿＿＿＿＿＿＿＿＿＿＿

＿＿＿＿＿＿＿＿＿＿＿＿＿＿＿＿＿＿＿＿＿＿＿＿＿＿＿＿＿＿＿

文章二　人同此心

【通读　约510字】

    在马路上,有一位老先生总是利用红灯时间在汽车中间走来走去,并且敲(qiāo)着别人的车窗说上一句话。

    很多人担心,他会不会是精神不正常,是不是具有攻击性,所以在马路上,只要看到他,人们的第一个动作就是赶快锁上车门。但时间长了,只要看到那位老人,在拥挤的汽车间走来走去,就有驾驶员把车窗摇下来,跟他说话,他也只简单地点点头。人们开始好奇,期待他有一天会来敲自己的车。

有一天，当红灯亮起，一个人的车刚好停在这位老先生面前，他跟以前一样敲了那人的窗户，对着车中的女士说："小姐，要记得系上（fasten）安全带呀！"

然后，他就走向下一辆车，留下那个有些吃惊的女士。

"这或许是商家新的宣传办法吧？或许是着急的爷爷，在寻找失踪（be missing）的孙儿？也或许……"女士想。

后来听人说："那位老先生姓陈，报纸上曾经报道过这件事。一年前，陈先生的儿子在那个十字路口，不幸出了事，儿子死了。出事的原因，只是他儿子没有系上安全带，头撞上了汽车前面的玻璃，当场就死了。"

孔子说："老吾老以及人之老，幼吾幼以及人之幼"，意思是，把自己家的老人当老人对待，也应该这样对待别人家的老人，把自己家的孩子当孩子对待，也应该这样对待别人家的孩子，说的就是这位老人！

（选自网络文章）

一、根据文章内容完成句子。（从 A B C D E F 中选择一个最佳答案）

A. 第一个动作就是赶快锁上车门

B. 在小汽车当中走来走去，敲别人的车窗

C. 商家的宣传新办法

D. 当时就死了

E. 只是他儿子没有系上安全带

F. 要记得系上安全带呀

1. 老先生总是利用红灯时，_____。

2. 很多人担心他是坏人，_____。

3. _____，他说的就是这样简单的一句话。

4. 陈先生的儿子在那个十字路口出了事，_____。

二、按照文章的故事情节排序。

1. 当时就死了

2. 一年前

3. 陈先生的儿子不幸出了车祸

4. 那并不是个大车祸

5. 头撞上了汽车前面的玻璃

6. 只是他儿子没有系上安全带

正确顺序是：_____

文章三　永远有时间

【通读　约630字】

　　他事业很成功，经常忙得不可开交。那天，他正在与客户（client）商谈，母亲打电话来了。母亲的电话一共打了三次。第一次他挂断（hang up）了电话。第二次他看了一眼，又挂断了电话，并向客户道歉说，是他妈妈来的电话。当电话第三次响起，他又要挂断时，客户说：既然是妈妈的电话，赶快接啊，万一有什么急事呢。

　　一接通电话，他就说，我在与客户谈生意，妈，你有急事吗？电话那头过了一会儿，说，我没事，只是想你，想知道你在干什么，既然你忙，那就挂了吧。

　　挂断电话，他看见客户的表情有些不高兴。

　　事实上，母亲确实没什么事，后来也没出什么事。但是这个电话让他失去了客户。

　　他和那个客户都是我的朋友，他告诉了我这件事。

　　我的看法是：他失去客户，并不是因为他接了电话，而是他没接那个电话。

　　后来，作为客户的朋友写信来，也告诉了我这件事，那个客户说：人对待优先①的事情，永远都有的是时间，比如生意，比如爱情。母亲来电话不接，不是因为没有时间，而是他觉得亲情没有生意优先。一个把生意看得比亲情重的人，我有理由信任（trust）他吗？

　　信写得有理，不过我以为，平常人都会像他那样处理。毕竟（after all）我们的生活经验是，母亲通常唠叨（chatter），而客户却不容易得到。

　　作为客户的朋友后来又写信来告诉我，他奋斗了20多年，一直想接独居的母亲来住，起先因为条件不允许，后来因为谈恋爱，再后来因为带儿子，都没有实现。当终于换了大房子，他母亲却去世了……

　　"也许失去我这个客户，会使他记得面对亲情，永远都应该有时间。"信的末尾说。

（选自《南方日报》，作者卢画庐）

---

① 优先（yōuxiān）：have priority。

一、根据文章内容判断正误。（正确的画"√"，错误的画"×"）

1. 他挂断电话让母亲很不高兴。　　　　　　　　（　　　）
2. 客户认为他应该接母亲的电话。　　　　　　　（　　　）
3. 他不知道他为什么失去了这个客户。　　　　　（　　　）
4. 他和客户都是"我"的朋友。　　　　　　　　（　　　）

5. "我"很赞成客户的看法。　　　　　　　　（　　　）

6. 客户认为亲情比生意更重要。　　　　　　　（　　　）

二、文章开头"不可开交"在句子中的意思是：（　　　）

　　A. 特别成功　　　B. 特别忙　　　C. 很难理解　　　D. 不可以交朋友

三、根据文章内容，说一说客户为什么这么看重亲情？

文章四　鸡蛋和眼睛

【略读　约 350 字　参考时间：7 分钟】

　　生病了，不一定要吃药，生活中有好多食物都是既健康又有效的良药。每天早晨吃一个鸡蛋，是很多人的习惯，你知道我们为什么要吃鸡蛋吗？鸡蛋对于眼睛有很大的好处。

　　很多人都认为，最能保护眼睛的是维生素 C 和维生素 A，所以拼命补充（replenish）。其实，具有这些作用的，是两种不是维生素的东西——叶黄素（lutein）和玉米黄素（zeaxanthin）。

　　叶黄素和玉米黄素，能够帮助眼睛延缓（postpone）衰老，这两样东西含量最高的食品，首先是深绿色的叶菜，如菠菜、木耳菜、空心菜、绿菜花、油菜、小白菜等。

　　另外，还有一样大家最熟悉的好东西，就是鸡蛋中的蛋黄。蛋黄当中的黄色，主要来自叶黄素和玉米黄素。鸡蛋的蛋黄，颜色越深，其中叶黄素和玉米黄素的含量就越高。

　　对于每天坐在电脑前的学生族、上班族来说，每天别忘多吃些绿叶菜，再加一个蛋黄颜色深的鸡蛋。

（选自健康网）

根据文章内容选择正确答案。（从 A B C D 四个选项中选择一个最佳答案）

　　1. 生活中既健康又有效的良药是：（　　　）

　　　A. 维生素　　　　　　　　　　　B. 维生素A

　　　C. 植物色素　　　　　　　　　　D. 绿叶菜加鸡蛋

2. 下面哪种说法文章中没有提到？（　　　　）

    A. 叶黄素和玉米黄素不属于维生素　　　　B. 叶黄素和玉米黄素对眼睛好

    C. 生病了，我们不一定要吃药　　　　　　D. 生病一定不能吃药

3. 叶黄素和玉米黄素的作用是什么？（　　　　）

    A. 补充眼睛需要的维生素　　　　　　　　B. 治疗眼睛疾病

    C. 延缓眼睛衰老　　　　　　　　　　　　D. 使眼睛更加明亮

4. 叶黄素和玉米黄素含量高的食品，不包括以下哪种？（　　　　）

    A. 菠菜、木耳菜　　　　　　　　　　　　B. 空心菜、绿菜花

    C. 鸡蛋、油菜　　　　　　　　　　　　　D. 萝卜、大白菜

5. 鸡蛋蛋黄颜色深，是因为：（　　　　）

    A. 鸡生活的环境好　　　　　　　　　　　B. 鸡吃的是玉米

    C. 鸡吃的是绿叶菜　　　　　　　　　　　D. 含叶黄素和玉米黄素多

文章五　中国农村的"上门女婿①"

① 女婿（nǚxu）: son-in-law。

【略读　约440字　参考时间：7分钟】

② 示范户（shìfànhù）: model household。榜样。

③ 光荣榜（guāngróngbǎng）: honour roll。

中国农村传统的结婚模式（pattern）是男家娶妻，从来看不起男到女家生活，可河北省定州市，这些年来，却有四万三千五百个上门女婿住进了妻家，其中，有九千八百五十个家庭被评为"新农家示范户②"，上门女婿上了光荣榜③。

中国人口文化促进会会长彭珮云（Péng Pèiyún）说，这一变化，是"实行计划生育政策，鼓励男到女家落户（settle）"取得的成果。

河北省定州市政府，通过开展农村人口文化活动，满足广大农民追求身心健康，希望家庭幸福的愿望，对上门女婿在生产上帮助，生活上关心，对需要建房的，优先安排住房用地，优先提供信息技术服务，优先安排外出打工。

这些政策促进了男到女家户的家庭收入的增加，去年，人均收入比普通户高出368元人民币，在男到女家户中，95%的家庭，夫妻恩爱，尊敬老人，家庭和睦，邻居关系好。

实践证明，男到女家生活，促进了婚嫁模式的改变，农民降低了对男孩的偏好（preference），想生女孩的意愿也渐渐产生。农民开始认识到，生男生女一样好，女儿儿子都一样，这有利于解决男孩比女孩数量多的社会问题。

（选自中国新闻网，作者曾利明）

一、根据文章内容判断正误。（正确的画"√"，错误的画"×"）

1. 中国农村传统看不起男到女家生活。 （ ）
2. 计划生育基本国策鼓励女到男家落户。 （ ）
3. 男到女家示范户的家庭收入比普通户高。 （ ）
4. 男到女家户中95％的家庭和睦。 （ ）
5. 男到女家落户有利于独生子女的教育。 （ ）

二、回答问题。

1. 什么是上门女婿？

----

2. 男到女家落户生活有哪些好处？

实用
阅读

（一）电视广告词

【查读 约470字 参考时间:6分钟】

1. 人类失去联想，世界将会怎样？——联想集团

—— 问句的形式，引人思考，引发联想，句短有力，容易记忆。

2. 学琴的孩子不会变坏——山叶钢琴

——这是台湾地区最有名的广告语，它抓住父母的心态，不讲钢琴的优点，而是从学钢琴有利于孩子身心成长的角度，吸引孩子父母。这一点的确很有效。山叶的高明（wise）就在这里。

3. 我不认识你，但我谢谢你！——义务献血（donate blood）

——每一位参加义务献血的人都会被这句广告语感动，虽然朴素（plain and unadorned），但却真实地反映了义务献血这件事，同时又表达出一个接受义务献血患者（patient）的心声。

4. 海尔，中国造。——海尔电器

——国产家用电器过去被认为质低价廉，即使出口也很少打出中国制造的牌子。海尔，振奋了国人的自信心，增强了民族自豪感①。就广告语本身而言，妙就妙在一个"造"上，简洁有力，信心十足。

5. 传奇品质，百年张裕。——张裕红酒

——当进口红酒进入中国市场，以张裕为代表的国产红酒，通过塑造（create）百年张裕的品牌形象丰富了酒文化，使一个拥有传奇②品质的民族

① 民族自豪感（mínzú zìháogǎn）：sense of national pride.

② 传奇（chuánqí）：legend.

117

③ 老字号（lǎozìhào）：old and famous brand。历史悠久的品牌。

老字号③企业屹然挺立。

6. 车到山前必有路，有路必有丰田车。——日本丰田汽车

——把卖车和中国人人皆知的俗语联系起来，恰到好处。

（选自网络文章）

回答问题。

1. 关于钢琴的是哪一则广告？

------

2. 张裕葡萄酒是哪里制造的？

------

3. 关于丰田汽车的广告好在哪里？

（二）新汉语水平考试（新HSK）报名通知

【查读　约420字　参考时间：7分钟】

新 HSK 是一项国际汉语能力标准化考试，重点考查汉语非第一语言的考生在生活、学习和工作中运用汉语进行交际能力。新 HSK 分笔试、口试两部分，笔试和口试是相互独立的。笔试包括 HSK（一级）、HSK（二级）、HSK（三级）、HSK（四级）、HSK（五级）和 HSK（六级）；口试包括 HSK（初级）、HSK（中级）和 HSK（高级），口试采用录音形式。

由我校对外汉语学院承担的新汉语水平考试（新 HSK）现已开始报名。具体如下：

1. 考试名称：新汉语水平考试（新 HSK）

2. 考试时间：2011 年 4 月 9 日 9:00—11:20（不同级别有所不同）

3. 考试级别：新 HSK 四级、五级、六级

4. 报名时间：

网上报名时间：3 月 5 日—3 月 18 日

网址：http://www.chinesetesting.cn/goliuchengtu.do

现场报名时间：3 月 14 日—3 月 18 日

具体报名要求请参照考生手册

考生手册下载地址：http://www.chinesetesting.cn/godownload.do

5. 考试手续：现场报名时考生需持本人护照复印件；如本人不能到场，需代理人持考试人的 2 寸彩色正面免冠照片一张及护照复印件。

6. 考试费用：四级：450元人民币

五级：550元人民币

六级：650元人民币

7. 现场报名地点：留学生楼103室　电话：0631-5688394

对外汉语学院

2011年1月20日

回答问题：

1. 这次考试的级别是哪几级？

　　---

2. 有几种报名方式？

　　---

3. 考生本人不能到场能报名吗？需要什么材料？

日积月累

（从本课中找出5-8个你觉得有用的词语或句子）

《发展汉语》（第二版）
基本使用信息

教　材	适用水平	每册课数	每课建议课时	每册建议总课时
初级综合（I）	零起点及初学阶段	30课	5课时	150-160
初级综合（II）		25课	6课时	150-160
中级综合（I）	已掌握2000-2500词汇量	15课	6课时	90-100
中级综合（II）		15课	6课时	90-100
高级综合（I）	已掌握3500-4000词汇量	15课	6课时	90-100
高级综合（II）		15课	6课时	90-100
初级口语（I）	零起点及初学阶段	23课	4课时	92-100
初级口语（II）		23课	4课时	92-100
中级口语（I）	已掌握2000-2500词汇量	15课	6课时	90-100
中级口语（II）		15课	6课时	90-100
高级口语（I）	已掌握3500-4000词汇量	15课	4课时	60-70
高级口语（II）		15课	4课时	60-70
初级听力（I）	零起点及初学阶段	30课	2课时	60-70
初级听力（II）		30课	2课时	60-70
中级听力（I）	已掌握2000-2500词汇量	30课	2课时	60-70
中级听力（II）		30课	2课时	60-70
高级听力（I）	已掌握3500-4000词汇量	30课	2课时	60-70
高级听力（II）		30课	2课时	60-70
初级读写（I）	零起点及初学阶段	15课	2课时	30-40
初级读写（II）		15课	2课时	30-40
中级阅读（I）	已掌握2000-2500词汇量	15课	2课时	30-40
中级阅读（II）		15课	2课时	30-40
高级阅读（I）	已掌握3500-4000词汇量	15课	2课时	30-40
高级阅读（II）		15课	2课时	30-40
中级写作（I）	已掌握2000-2500词汇量	15课	2课时	30-40
中级写作（II）		15课	2课时	30-40
高级写作（I）	已掌握3500-4000词汇量	12课	2课时	30-40
高级写作（II）		12课	2课时	30-40

发展汉语 Developing Chinese 第二版 2nd Edition

综 合

○	初级综合（Ⅰ）含1MP3	ISBN 978-7-5619-3076-2	79.00元
○	初级综合（Ⅱ）含1MP3	ISBN 978-7-5619-3077-9	75.00元
○	中级综合（Ⅰ）含1MP3	ISBN 978-7-5619-3089-2	56.00元
○	中级综合（Ⅱ）含1MP3	ISBN 978-7-5619-3239-1	60.00元
○	高级综合（Ⅰ）含1MP3	ISBN 978-7-5619-3133-2	55.00元
○	高级综合（Ⅱ）含1MP3	ISBN 978-7-5619-3251-3	60.00元

口 语

○	初级口语（Ⅰ）含1MP3	ISBN 978-7-5619-3247-6	65.00元
○	初级口语（Ⅱ）含1MP3	ISBN 978-7-5619-3298-8	74.00元
○	中级口语（Ⅰ）含1MP3	ISBN 978-7-5619-3068-7	56.00元
○	中级口语（Ⅱ）含1MP3	ISBN 978-7-5619-3069-4	52.00元
○	高级口语（Ⅰ）含1MP3	ISBN 978-7-5619-3147-9	58.00元
○	高级口语（Ⅱ）含1MP3	ISBN 978-7-5619-3071-7	56.00元

听 力

○	初级听力（Ⅰ）含1MP3	ISBN 978-7-5619-3063-2	79.00元
○	初级听力（Ⅱ）含1MP3	ISBN 978-7-5619-3014-4	68.00元
○	中级听力（Ⅰ）含1MP3	ISBN 978-7-5619-3064-9	62.00元
○	中级听力（Ⅱ）含1MP3	ISBN 978-7-5619-2577-5	70.00元
○	高级听力（Ⅰ）含1MP3	ISBN 978-7-5619-3070-0	68.00元
○	高级听力（Ⅱ）含1MP3	ISBN 978-7-5619-3079-3	70.00元

"练习与活动" + "文本与答案"

读 写

○ 初级读写（Ⅰ）
　ISBN 978-7-5619-3360-2　27.00 元
○ 初级读写（Ⅱ）
　ISBN 978-7-5619-3461-6　27.00 元

阅 读

○ 中级阅读（Ⅰ）
　ISBN 978-7-5619-3123-3　29.00 元
○ 中级阅读（Ⅱ）
　ISBN 978-7-5619-3197-4　29.00 元
○ 高级阅读（Ⅰ）
　ISBN 978-7-5619-3080-9　32.00 元
○ 高级阅读（Ⅱ）
　ISBN 978-7-5619-3084-7　35.00 元

写 作

○ 中级写作（Ⅰ）
　ISBN 978-7-5619-3286-5　35.00 元
○ 中级写作（Ⅱ）
　ISBN 978-7-5619-3287-2　39.00 元
○ 高级写作（Ⅰ）
　ISBN 978-7-5619-3361-9　29.00 元
○ 高级写作（Ⅱ）
　ISBN 978-7-5619-3269-8　29.00 元

中国文化百题
A Kaleidoscope of Chinese Culture

纵横古今，中华文明历历在目　享誉中外，东方魅力层层绽放
Unfold the splendid and fascinating Chinese civilization

了解中国的窗口
A window to China

● 大量翔实的高清影视资料，展现中国文化的魅力。既是全面了解中国文化的影视精品，又是汉语教学的文化视听精品教材。

● 涵盖了中国最典型的200个文化点，包括中国的名胜古迹、中国各地、中国的地下宝藏、中国的名山大川、中国的民族、中国的美食、中国的节日、中国的传统美德、中国人的生活、儒家、佛教与道教、中国的风俗、中国的历史、中医中药、中国的文明与艺术、中国的著作、中国的人物、中国的故事等18个方面。

● 简洁易懂的语言，展示了每个文化点的精髓。

● 共四辑，每辑50个文化点，每个文化点3分钟。中外文解说和字幕，可灵活搭配选择。已出版英语、德语、韩语、日语、俄语五个注释文种，其他文种将陆续出版。

目　录 Contents

图书在版编目（CIP）数据

中级阅读. I / 徐承伟编著. — 2版. — 北京：北
京语言大学出版社，2011.9（2016.11重印）
（发展汉语）
ISBN 978-7-5619-3123-3

Ⅰ.①中… Ⅱ.①徐… Ⅲ.①汉语—阅读教学—对外
汉语教学—教材 Ⅳ.①H195.4

中国版本图书馆 CIP 数据核字（2011）第 181776 号

书 名：	发展汉语（第二版）中级阅读（I）
责任印制：	包朔

出版发行：**北京语言大学出版社**

社 址：	北京市海淀区学院路 15 号	邮政编码：100083
网 址：	www.blcup.com	
电 话：	发行部 010-82303650 / 3591 / 3651	
	编辑部 010-82303647 / 3592	
	读者服务部 010-82303653	
	网上订购电话 010-82303908	
	客户服务信箱 service@blcup.com	
印 刷：	北京画中画印刷有限公司	
经 销：	全国新华书店	

版 次：	2011 年 9 月第 2 版 2016 年 11 月第 13 次印刷
开 本：	889 毫米 ×1194 毫米 1/16
印 张：	8.5
字 数：	193 千字
书 号：	ISBN 978-7-5619-3123-3 / H·11167
定 价：	29.00 元

凡有印装质量问题，本社负责调换。电话：010-82303590